ちくま学芸文庫

秘密の動物誌

ジョアン・フォンクベルタ ペレ・フォルミゲーラ
荒俣 宏 監修　管 啓次郎 訳

筑摩書房

Joan Fontcuberta / Pere Formiguera

ジョアン・フォンクベルタ ✚ ペレ・フォルミゲーラ

FAUNA

秘密の
動物誌

SECRETA

DIRECTIONE
Aramatarum Hiroshorum
監修：荒俣 宏

TRADUCTIONE
Sugae Keijironis
訳：管 啓次郎

IN AEDIBUS CHIKUMA SHOBO

筑摩書房

CONCEPTIONE FORMAE LIBRI:Sobues Shunis／Kobae Takanobus

ペーター・アーマイゼンハウフェン博士

「実在するもの」は、
存在しうるものの小さな一部分にすぎない。

アーマイゼンハウフェン博士
の業績に対する敬意をこめて。
ベレ・アルベルク

目次

日本語版への序：秘密の動物たちとの遭遇——われわれはいかにしてそれと出会ったか
　　ジョアン・フォンクベルタ✚ペレ・フォルミゲーラ······················7

I. ペーター・アーマイゼンハウフェン博士の生涯 ——— 15

II. 新種・奇種の動物たち ——— 37

Solenoglypha Polipodida
　　ソレノグリファ・ポリポディーダ··········39

Micostrium Vulgaris
　　ミコストリウム・ウルガリス··········49

Threschelonia Atis
　　トレスケロニア・アティス··········57

Analepus Commisceos
　　アナレプス・コミスケオス··········65

Myodorifera Colubercauda
　　ミオドリフェラ・コルベルカウダ··········73

Perosomus Pseudoscelus
　　ペロスムス・プセウドスケルス··········81

Ictiocapra Aerofagia
　　イクティオカプラ・アエロファギア··········89

Wolpertinger Baccabundus
　　ウォルペルティンゲル・バッカブンドゥス··········95

Improbitas Buccaperta
　　インプロビタス・ブッカペルタ··········101

Felis Pennatus
　　フェリス・ペンナトゥス··········109

Pollicipes Gigantis
　　ポリキペス・ギガンティス··········115

Koch Basilosaurus
　　コック・バシロサウルス··········121

Alopex Stultus
　　アロペクス・ストゥルトゥス··········129

Contents

Squatina Squatina
　　スカティナ・スカティナ……………………………137

Pseudomurex Spuoletalis
　　プセウドムレックス・スプオレタリス……………………141

Tretrastes Plutonica
　　トレトラステス・プルトニカ……………………147

Elephas Fulgens
　　エレファス・フルゲンス……………………153

Centaurus Neandertalensis
　　ケンタウルス・ネアンデルタレンシス……………………157

Piluserpens Edax
　　ピルセルペンス・エダックス……………………167

Pennalinx Inferus
　　ペンナリンクス・インフェルス……………………171

Hermafrotaurus Autositarius
　　ヘルマフロタウルス・アウトシタリウス……………………175

Pirofagus Catalanae
　　ピロファグス・カタラナエ……………………181

Cercopithecus Icarocornu
　　ケルコピテクス・イカロコルヌ……………………191

＊学術名・分類一覧……………………199

III. 解説 —————————————————————————————201

製作ノート
　　ジョアン・フォンクベルタ✚ペレ・フォルミゲーラ……………………203

非存在の実在証明
　　ペレ・アルベルク……………………209

日本語版解説：荒俣宏 —————————————————————————————217

文庫版解説：茂木健一郎 —————————————————————————————229

日本語版への序

秘密の動物たちとの遭遇

われわれは
いかにして
それと
出会ったか

ジョアン・フォンクベルタ+ペレ・フォルミゲーラ

1980年9月2日、スコットランドへの旅に出発したとき、ぼくらは行く手に待つ発見のことなんてまるで思ってもみなかった。仕事はある写真エージェンシーから依頼されたもので、内容はグラスゴーからラス岬にかけてのハイランド地方のルポルタージュだった。したがってこの旅は、もちろん魅力的ではあったが、これといって特別な高揚感を抱かせるものではなかった。

　ぼくらは町中の落ち着かないホテルに宿をとるのはよして、グラスゴーの北にある小さな村に小さな家を借り、そこを取材の拠点とすることにした。小さいけれども気持ちのいい家で、手入れもゆきとどいていた。案内してくれたのはマクファーソン夫人、地元のパブの女主人だ。

　「こないだうち暇を見て掃除しておきました」と彼女は言い、続けた。「ここに泊まられるのはヘレンさんが亡くなってから、あなた方がはじめてなんですよ。もう22年にもなりますわねえ。ご兄弟たちは、どうやらグラスゴーのほうがよろしいようでございましょう。ヘレンさんのご不幸以来、この家は閉めてしまい、それからはもうぷっつり。ご連絡をいただいたのはこのあいだの、あなた方がいらっしゃるからというお電話がはじめてですのよ」

　家はきれいに掃除され、片づいていた。時代おくれの家具や装飾品が、時の流れを感じさせた。台所まわりもやはりそうで、使う分にはなんの不自由もないが、その型はどうみて

もすでに歴史の一部といった感じだった。とはいえこうしてひとわたり見わたしただけで、ここがまったく快適な家だということを、ぼくらはもはや疑わなかった。

　それにつづく数日、ぼくらはレンタ・カーで一帯をあちこち走りまわっては、使えそうな風景を探した。この地方はすばらしい魅力に富んでいて、ぼくらは興奮し、ずっと上機嫌だった。最初の1週間がすぎるころには、もう仕事全体の計画ができあがっていた。あと欠けているのは、現像室。それに適当な空間が見つかれば、準備完了だ。ふたりで手分けして、家の中に適当な場所を探すことにした。ひとりは屋根裏にのぼり、ひとりは地下室にもぐりこんだ。屋根裏が理想的な場所じゃないことは、ただちにあきらかになった。水道がとどいていないし、あらゆる隙間から光がさしこんでいる。一方、地下室のほうは広く、じめじめして、からっぽな空間だった。いや、正確にいえば、ほとんどからっぽ。壁沿いには巨大な何かが、ぼろぼろになった布で覆われて置かれてあったからだ。

　「こいつはいったい何だろう？」ぼくらはふたりがかりで布をはぎとりながら訝った。

　覆われていたのは木製の棚で、湿気のせいでその状態はあまりよくなかった。棚はさまざまな書類、箱やファイル類でいっぱいだった。正直にいってぼくらはどうにも好奇心をおさえきれず、その内容をこっそり見てしまったのだ。

　それがアーマイゼンハウフェン博士の残した資料だった。

剝製標本、地図、デッサン、写真、記録カード、X線写真その他の雑多な品物が、ぼくらの眼のまえに魔法のように忽然と出現し、それはまるできらきらと美しく輝いているようにさえ思われた。

「おい、こりゃなんだ？」とぼくらは声をそろえて叫んだ。「すごいぜ、これは！　いったいどこから飛び出してきたんだ？」

村での第2週、ぼくらは家にこもりっきりで、この驚異的な資料群を点検し、なんとか整理してみようという作業に没頭した。その時点のぼくらには、この資料群の真の射程にはとても想像がおよばなかったが、いまこうして眼のまえに残されている記録や物品が本物の科学者の仕事であり、信じがたい貴重な情報を含んでいることは疑いの余地がなかった。どうあっても、しかるべき知識を備えた人がこの資料を通覧し、専門的な裏付けのある意見を述べるべきだ。しかし一方で、写真家であるぼくらは色褪せた一連の写真にすっかり心を奪われてしまった。それは科学者の研究というよりも、ひとりの狂人の幻想をうつしとったもののように見えた。いずれにせよこれらの写真を、このままこの地下室に放置することなんて、とてもできなかった。

2日後、グラスゴーで、ぼくらはこの家のかつての女主人の兄弟たちとのあいだに、この資料群を譲りうけるという契約をかわした。それらの品物にはまったく興味がないと、かれらは言うからだ。

How we got it

「妙ちきりんで変色したような写真ばかりだろう。そんなものが気に入ったっていうのなら、きみたちが持って帰って好きなようにしていいよ。それはかまわないが、ただしどこで手に入れたかは明かさないでほしいね。ぼくたちの名前は出してほしくないし、妹の名前もだめだ。こっちまで気が狂ってたと思われるからな……」

新しい箱を4箱で、この財宝を梱包し、バルセロナへと送るにはじゅうぶんだった。税関関係もまったく問題はなかった。「古い写真やその他、がらくたばかりです」とひとこと言っただけで済んだ。ぼくは大急ぎでルポの仕事を片づけて、バルセロナに帰った。

ぼくらが資料の検討を依頼した、世界中の第一線の動物学者たちの反応には、大きなばらつきがあった。驚愕、懐疑、あるときには一種の恐怖、また別の場合にはあからさまな熱狂。だがかれらのだれひとりとして、あえて具体的なことばで判定をくだすことはしなかった。この資料群をまえにして、だれもが途方に暮れ、居心地の悪さを感じているようだった。ところがついに、すでに90歳になろうかというモスクワのナボコフ教授が、ぼくが見せた写真をひったくって、こう熱狂的に叫んだのだ。

「おお聖母よ、これはなんということだ！　これはわがいにしえの友人アーマイゼンハウフェンの資料にほかならないではないか！」

ついでナボコフ教授は、自分とペーター・アーマイゼンハウフェンとの関係について語り、アーマイゼンハウフェンの研究について知るかぎりのすべてをぼくらに教えてくれたのだった。いまもシュトゥットガルトで暮らしているペーターの妹、エルケ・アーマイゼンハウフェンの住所を教えてくれたのも、ナボコフ教授その人だ。エルケさんはぼくらを大変丁寧に迎えてくださり、彼女の亡くなったお兄さんの資料を研究しようというぼくらを励ましてくれた。またそれ以外にもさまざまな情報を得ることができたが、それらの情報はいまなお未完のこの驚くべきパズルの再建作業に、非常に役立っている。結局最後には、われわれはこの傑出した動物学者の生涯と仕事を研究する財団を創設することで合意に達し、エルケさんはその名誉会長をよろこんで引き受けてくださったのだ。

　今日、ぼくらがこの資料を発見して11年、旧態依然たる公式科学は依然としてアーマイゼンハウフェン教授の業績に対してなんら明確な評価をあたえていない。ここにぼくらは教授の残した資料を広く一般の高覧に供する。読者のみなさんのひとりひとりに、そこからもっとも妥当だと思われる結論をひきだしていただきたいと、切に願うばかりだ。

　　　　　ペレ・フォルミゲーラ／ジョアン・フォンクベルタ
　　　　　　1991年7月　バルセロナにて

秘密の動物誌

ペーター・アーマイゼンハウフェン博士の生涯

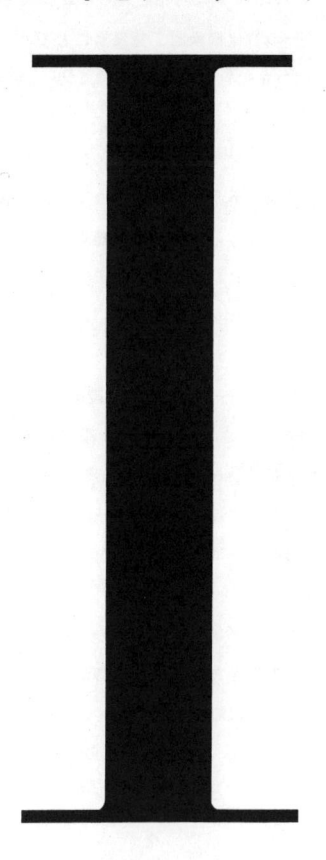

I

I

　　　ペーター・アーマイゼンハウフェンは 1895 年、ミュンヘンで生まれた。父ヴィルヘルム・アーマイゼンハウフェン（1860年ドルトムント生れ、1914年ダル・エス・サラーム没）は探検家、狩猟家にしてサファリ・ガイド。母ジュリア・ホール（1873年ダブリン生れ、1895年ミュンヘン没）はピアノの演奏家兼教師だった。

　　　ペーター・アーマイゼンハウフェンの両親はンゴロ・ンゴロ火口への狩猟旅行(サファリ)を機に知りあう。ジュリアはこれに当地のイギリス総督の招待客として参加していたもの。数か月を経ずしてふたりは結婚し、ドイツ、より具体的にいえばミュンヘンに帰る。アフリカ生活のリズムに適応することのできなかったジュリアの願いをいれたヴィルヘルムは、そこで新しい生活をはじめようとしたのだった。

　　　1895 年、ペーター生まれる。産後の肥立ちがおもわしくなく、10 日後にジュリアは死亡。ヴィルヘルムは深い悲嘆に沈み、以後 1 年にわたって人里離れた山荘にひきこもる。1 年がすぎると、医師たちのすすめもあり、ドルトムントに住み出生以来ペーターの面倒を見てきた妹マリアの同意をも得て、幼児ペーターを妹にまかせたまま、ヴィルヘルムはアフリカに戻った。

　　　ヴィルヘルムはダル・エス・サラーム（当時はドイツ領）において職業的狩猟家としての生活を再開。そこで当市中央病院勤務のドイツ人看護婦エルケ・ヘルティヒと相知る。1898 年、ふたりのあいだには娘エルケが誕生。ペーターの唯一の妹となる。一家の記録によれば、ヴィルヘルム・アーマイゼンハウフェンとエルケ・ヘルティヒの関係は情熱と波瀾に

富んだものであったという、そのため小エルケはドルトムントに住む叔母マリアならびに兄ペーターのもとに送られた。そこで育てたほうが本人のためにいいだろう、と判断されたからだ。

1900年、エルケ・ヘルティヒは、絶対に馴らしてみせるとかねて公言していたライオンに食い殺された。ヴィルヘルムはまたもや危機に陥り、ダル・エス・サラームの精神病院に入院する。1910年、それぞれすでに15歳と12歳になっていたペーターとエルケは父親を訪問、それが最後の訪問となった。このときのことについては、娘エルケ自身が以下のように記している。「ペーターと私が最後にパパに会いに行ったとき、パパは退院してからすでに2年たっているところでした。ちょうど中央アフリカ動物保護協会を設立したばかりのところで、アフリカのすべての野生動物の保護に、全力でとりくんでいました……」。ほんの数年前までみずから殺戮を重ねていた野生動物たちを保護するというこの仕事は、やがて彼自身の死を用意することになる。密猟者たちによって傷つけられた一頭の象の救出にあたっていたまさにそのとき、ヴィルヘルムは象の鼻の強烈な一撃をくらい、結局この打撲による脳内出血が彼の命とりになった。

ドルトムントでの叔母マリア、妹エルケとの生活は、ペーターにとっては幸福で安定した子供時代だったといえる。カトリック系の学校にかよい、彼は勉強好きな生徒としての評判をとった。満10歳になったばかりのころ、休暇を父親のところですごすために、はじめてアフリカに旅する。どうやらこのときの野生動物たちとの出会いに、少年は強い印象を受けたようだ。「兄はドルトムントの家を、何匹もの犬や猫や魚や鳥そ

I

の他の動物たちでいっぱいにしました」と、妹エルケは語っている。「こうした小さな動物たちのあるものが死ぬと、ペーターはそれを解剖し、体内のようすをじっくりと観察しました。叔母はこれを心から厭い、特に家中に死臭がひろがりはじめると、もうたまらないと嘆きました。それ以来、私はずっと疑問に思っていることがあります。そのころ家で死んだ動物たちの死因のすべては、はたしてほんとうに自然死だったといえるのだろうか、と……」。

13歳のとき、再度アフリカでの休暇を過ごしてきた若きペーターは、後の研究者としての片鱗を明らかにうかがわせる次のような文句で、叔母と妹を感心させた。このときのやりとりを、またもや妹エルケの叙述にしたがおう。「そのころのペーターが、それ以後生涯にわたって続くことになる内向的で無口な性格を子供ながらにすでに明らかにしていたことを、私は思い出します。ダル・エス・サラームから帰って2日、彼がぼそぼそと口にすることといえば、つねに動物、また動物の話ばかりでした。ときどき叔母が、ほんとうにそんなに動物が好きなの、とたずねます。するとそのたびにペーターは、必ずこんなふうに簡潔に、きっぱりと答えるのです。『外も内もね』と。このことばこそ、なによりもその後の兄の人生を物語るものではないでしょうか」。

18歳、ペーターは大学に入学するべくミュンヘンに移り、そこできわだった秀才ぶりを発揮することになる。医学ならびに生物学を専攻し、7年後これらふたつの専門分野で博士号を取得。彼のすぐれた学業成績はルートヴィヒ・マクシミリアン大学評議会の注目するところとな

A biography of Peter Ameisenhaufen

1900年頃のヴィルヘルム・アーマイゼンハウフェン。

ペーターと妹エルケ、1907年。

I

り、評議会は彼を同校教授陣のひとりとして迎えることにする。彼がそれまで長らく住んだ学生寮をようやく出て、大学近くの小さな住宅におちついたのは、そのときのことだ。この時期のペーターに関しては、クラウス・フィッシャー教授の著述に証言が残されている(『ドイツの一大学での20年』、フォスト書店、ミュンヘン、1935年、135ページ)。それによると「ペーター・アーマイゼンハウフェンは同大学の最年少の教授であり、動物学と研究倫理を教えていた。26歳にして、アーマイゼンハウフェンは無尽の学識の持ち主だった。専用の研究室をもっていて、そこには私の知るかぎり誰もけっして立ち入ることが許されなかった。(……)彼の研究室はあれこれの稀少かつ高価な書物でみたされていたが、その蔵書を訪問客に見せることは、これもめったになかった。(……)彼の大学からの追放については、私は非常に残念に思った。教授会はあまりにも性急軽率な判断を下したと、私は考えている」。

フィッシャー教授の伝えるこの蔵書については、1955年にアーマイゼンハウフェン教授が行方不明であると最終的に宣告されて以来その妹によって保管されてきた一群の書物によって、その一端をうかがうことができる。これらの残された書物群のうちには、いずれもきわめて貴重な、あらゆる時代の科学論文が含まれている。アリストテレス、ケルスス、プリニウス、パラケルスス、セルベト、パレ、ライブニッツ、バートン、ラマルク、ベイツ、そしてダーウィンが、教授の蔵書を彩った著者たちのあいだに数えられる。なかでもとりわけ人目を引くのは、1628年、セバスティアン・ミュンスターの手になる『宇宙誌、すなわち世界全体

A biography of Peter Ameisenhaufen

仕事机。手前の手は親友のアアル・ルから贈られた「よき判断力をもつ手」の複製（日記第2巻より）と思われる。

左からアルドロヴァンディ『全集』のうち「爬虫類誌」第2巻、C.G. ギーベル『両生類・魚類誌』、カール・リンネ『自然の体系』第10版（博士の蔵書より）。

の記述』の初版１巻、そしてやはり初版であるアンブロワーズ・パレの『奇形と怪異について』(パリ、1585年) だった。とはいえもっとも驚くべき一巻が、かの有名な『リノグラデンティアの身体構造と生態』〔20世紀に絶滅したハナアルキ（鼻歩き）という珍奇な哺乳類についての論考。邦訳有。(『鼻行類』、思索社)──訳者〕の第一稿をなすものと思われるいくつかの手書きのノートであることは、疑いを入れない。この著作はアーマイゼンハウフェン教授とH・シュテュンプケ博士〔『鼻行類』の著者〕とのあいだに個人的な交際があったことを示唆しており、またこの推測は教授の日記中にハイ・アイ・アイ列島〔リノグラデンティア（＝鼻行類）が住んだ太平洋上の諸島〕についての言及があることによって支持される。蔵書中のすべての書物は、余白にびっしりと書き込みがなされている。その一例としてたとえばアリストテレスの著書『動物誌』第一書に見られる次の一文には、ただならぬ熱のこもった下線が引かれていた……「エチオピアには空を飛ぶある種の蛇が存在するといわれている」。

　　フィッシャー教授の語っている、大学からの追放問題に関しては、当時、学長のヴァルター・フランク博士がアーマイゼンハウフェン教授にあてた手紙が、いまも残っている。この手紙はたいへん丁寧で、ほとんど誠意をこめて書かれたもののようにさえ読めるのだが、それでいて実際には曖昧な表現や、意味ありげに見えて実は具体性を欠いた言い回しにあふれている。1932年11月7日の日付があるこの手紙から、われわれにとって興味深いと思われる次の一節を引用しておこう。「あなたのように偉大な研究者が、かくも科学性を欠いた、断固としてまちがった方向をめ

A biography of Peter Ameisenhaufen

ミュンヘンの博士の家。

1913年から32年までの間、まず学生として学び、ついで教鞭をとった、ルートヴィヒ・マクシミリアン大学の博物館展示品。

I

ざすという錯誤に陥られたことを、われわれとしてはきわめて遺憾に思っております」……この手紙を読んで推測できるかぎりでは、教授はみずからの新発見のいくつかを講義中にとりあげたものと思われる。このことがおそらく教授の信望を失墜させ、その突然の解任に結びついたのだった。

　この解任劇から1年たった1933年、ドイツ科学界を支配する度し難い保守主義と当時故国に急を告げていた政治諸事件にあきあきした教授は、アメリカ合衆国に移住する。同伴したのはその忠実な家政婦であったシューレ夫人と、研究助手のハンス・フォン・クーベルト。この助手はやがて教授が科学探究の世界を捨てるまで、ずっとその傍らにつきそうことになる。1985年に亡くなるまで、まさにこのハンス・フォン・クーベルト自身が、ペーター・アーマイゼンハウフェン教授のアメリカ時代についての得難い情報をわれわれにもたらしてくれたのだった。

　「この時期、教授は全力をあげて仕事にうちこんでおられた。教授が研究室から出るといえば、それはただなにか新しい個体標本を採集しにゆくときだけだったし、教授はそれを現地で観察し、できることなら生きたまま自宅に持ち帰り、採集した動物が死んでしまえば、私が解剖の準備をすることになっていたんだ。採集旅行のためには世界中をかけめぐったが、私はつねに教授のお供をした。動物たちをその自然のままの環境で写真撮影するのが私の役目で、その間、教授自身は動物たちをデッサンし、ノートをとり、それに基づいて後で調査記録を整理したわけさ」。こうした調査旅行の実際に関しては、ハンスはつねに奇妙なほど口が重かった。「教授にはいたるところに知り合いがいたよ。私たちはきみらが想像

A biography of Peter Ameisnhaufen

ウリッセ・アルドロヴァンディ〔16世紀イタリアの植物学者。最初の植物園を作った。〕の『全集』の１頁。

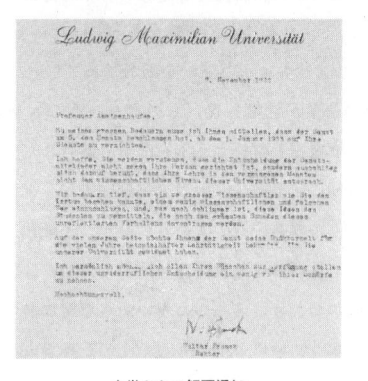

大学からの解雇通知。

I

できるかぎりのあらゆる仕方、そればかりかきみらにはちょっと想像もつかないようなあらゆる仕方で、旅をしたもんだ」と、彼は謎めいた頬笑みを浮かべながらわれわれに語った。教授の研究の特色についても、やはりハンスはほとんどこれといったことを教えてはくれなかった。「私自身は、まあ科学のことなんかなんにもわかっちゃいないがね、しかし教授の仕事が現代の科学知識に革命をひきおこすべき運命にあるものだったとは思っている。(……)教授におつきあいした年月のうちに私が眼にしたことのいくつかについては、けっして人には話さないと、私は心に誓った。その理由は、まあ、聞かないでくれよ」。

1932年、ペーター・アーマイゼンハウフェンの生涯のもうひとりの重要人物が、舞台に登場した。スコットランド人の少女ヘレン・Xがそれで、その姓は明かさないでくれと、われわれは彼女の相続人たちから要望されている。「ふたりは心から愛しあっていた」とハンスは語った。「可能なかぎり、しょっちゅうお互いを訪ねあっていた。とはいえヘレンお嬢さんは教授の仕事が途轍もないものだということをよく理解しており、努めて仕事の邪魔をしないよう気を配っておられた」。

この時期に関しては、大量の記録文書ならびに物品が残されている。研究室の種々の器具、身のまわりの品々、手紙類、そして厖大かつ詳細をきわめた、7巻におよぶ教授のかけがえのない日記。残された通信類はたいへん多岐にわたり、誕生のお祝いから濃密に科学的な内容をもった手紙まであるが、なかには教授にむかってみずから呼ぶところの「空気象(アエロファアンテ)」の写真を送りつけてきた友人ラムゼイからの手紙のような、単

A biography of Peter Ameisnhaufen

アメリカ合衆国時代の書斎の一隅。

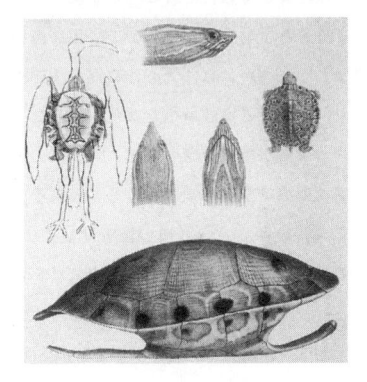

トレスケロニアの素描。

I

なるジョークも含まれている。アーマイゼンハウフェンはこのいたずらについて、日記で次のように評している。「ラムゼイのやつ、どうも日に日に狂ってくる」……(『日記』、第6巻、57ページ)。教授の生涯の年譜を作成するにあたっては、おそらくこの日記がもっとも有用な資料となるものと思われる。数巻が欠けているとはいえ、ペーター・アーマイゼンハウフェンがみずからの生活と仕事についての覚えおよび感想を記したノートは、15冊存在していたということが今までにわかっている。

  1933年から1950年にかけての年月は、教授が最高の集中度をもって研究生活を送った時期だった。今日われわれの知る、教授による新種の動物の発見は、ほとんどすべてこの時期に行なわれ、この時期、アーマイゼンハウフェンは世界中を旅行したことが確認されている。あちこちから大量の手紙をうけとり、自宅に戻ってもその束の間の滞在のあいだ研究室にこもりっぱなしで、ついにはくたくたになるまでそこから一歩も出ようとはしなかった。忠実なる家政婦のシューレ夫人は、彼に食事をきちんととらせるよういつも気を配らねばならず、ハンスの語るところでは教授のことを、まるで幼児の世話を焼くようにして面倒を見なくてはならなかったほどだそうだ。1949年ごろ、教授の健康は衰えはじめた。「最近どうも疲れていて、これからも従来の調子で仕事を続けられるかどうか、はなはだ心許ない……」と、教授は日記に書いている。このことばは、悲劇的なまでに的中した予言となった。1950年のはじめ、みずからを白血病と診断した教授は、これまでどおりの研究の進展を妨げるような治療を受けなくてはならなくなった。ヘレン・Xとともにグラスゴー近郊で暮ら

ツバサガエルの研究。

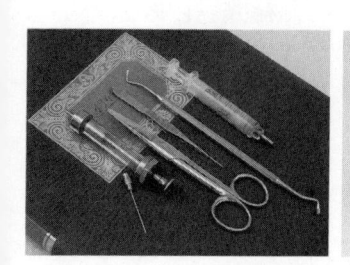

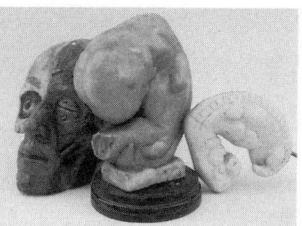

左:教授の使用した手術器具。右:解剖模型。

I

ケニアの「アエロファンテ」のつがいが飛び立とうとしているところ。クロード・ブロムレイ撮影(1941)。

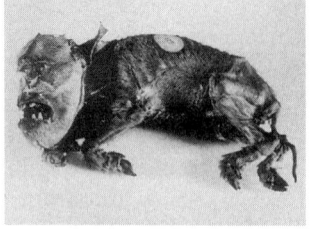

博士の資料中に見つかった、データ不詳の剝製。

A biography of Peter Ameisnhaufen

アフリカへの調査旅行中に収集された呪物の品々。

不揃いながら博士の蔵書中に発見されたウリッセ・アルドロヴァンディの『全集』より。

すためにアメリカを去ったのはこのときのことで、**教授は生涯の最後の5年間を、彼女とともにすることになる。**

　　　　グラスゴーでは、ペーター・アーマイゼンハウフェンはしだいしだいに新しい調査を放棄し、これまでの生涯で集め続けた資料群を整理することに専念した。「**最後がやってくるという予感がしている。私の終わり、そして私の仕事の終わりが。けれどもいま私が恐れるのは、仕事の終わり以前に私の終わりがやってくることだ……**」と、日記の第15巻には記されている。「**私が死んだときなすべきことを、ヘレンがすでに心得ているので、安心できる**」。**教授**がその晩年の連れ合いにあたえた指示がどんなものだったのか、われわれにはわからないが、その後の展開は、彼女が残された資料を秘蔵したままそれを公刊しないという進みゆきとなった。ところでここで忘れてならないのは、1955年、**教授の死の2か月後に、教授**とヘレンが暮らした家が火事に見舞われ、焼失をまぬかれたのはほんの一部分にすぎなかったという事実だ。残された資料を完全なかたちで伝えることができなくなったということもあるのだろう。ともかく、ヘレンがなんらかの理由により、現在では発見されている部分すらもはや公開するのはよそうと決意したのだと考えても、さほど的はずれではないように思われる。

　　　　1955年8月7日、ペーター・アーマイゼンハウフェンはひとりでスコットランド北部への小旅行に出かけた。そしてその3日後、**教授**の車が海岸の断崖の上で発見された。しかし遺体はどこにも見つからない。行方不明が公式に宣告された。**教授の日記の最終ページは、ヘレンに宛てた手紙で終わっている。**そこにはこう書かれている。「これでおしま

A biography of Peter Ameisnhaufen

研究資料中に見つかった、出典不詳の挿絵。

グラスゴーの資料庫の棚。

いだ。私にはそれがはっきりわかっているし、たいへん恐ろしいと思う。ヘレン、きみがいずれこれを読むということも知っている。私はもうゆくが、きみを連れていくわけにはいかない。新しい約束が、私を待っている。もしすべてがうまくいくなら、すぐにまたふたりで、はじめからやり直すことにしよう。そうでなければ、きみにありったけの幸運を祈り、これまでのすばらしい数年間を通じてきみを苦しめてきた、私の常軌を逸した奇矯さを許してくれるようにお願いする。そしてなによりも、私の人生ではかつて他のだれにも感じたことのなかったほど、私がきみを愛していたことをわかってほしいと思う。この別離が長からぬことを。きみの、ペーター」。

　　　ヘレンは3年後、自動車事故で死亡した。火災の後に建て直されていた彼女の家は、その遺産相続人たちによって家財のすべてとともに封印された。そしてその22年後、運命の気まぐれのおかげで、この家の扉はわれわれのために開かれることになったのである。

若き日のペーター・アーマイゼンハウフェンがライプチヒの出版社のために描いた、動物学的スケッチ。

年表

1895 ………… ミュンヘンにて出生。父ヴィルヘルム・アーマイゼンハウフェン（1860年ドルトムント生れ、1914年ダル・エス・サラーム没）、母ジュリア・ホール（1873年ダブリン生れ、1895年ミュンヘン没）。難産のため母親は死亡。

1896 ………… 父親は職業的狩猟家兼サファリ・ガイドとしての仕事を再開するため、アフリカに戻る。以後、ペーターはドルトムントで叔母のマリアと暮らす。

1898 ………… ヴィルヘルム・アーマイゼンハウフェン、エルケ・ヘルティヒと再婚し、ペーターには妹エルケが誕生。この女児はドルトムントに送られ、叔母および兄とともに生活することとなる。

1905〜12 ….. 父親を訪問するために、アフリカにしばしば旅行する。

1913 ………… ルートヴィヒ・マクシミリアン大学で勉強するためにミュンヘンに移る。

1914 ………… 父親、ヴィルヘルム・アーマイゼンハウフェン死す。

1920 ………… ルートヴィヒ・マクシミリアン大学教授となる。「動物学」ならびに「研究倫理」の講座を担当。

1922 ………… 個人的研究をはじめる。

1925 ………… 助手としてハンス・フォン・クーベルトを採用。

1930 ………… ピロファグス・カタラナエを発見し分類する。

1931 ………… ウォルペルティンゲル・バッカブンドゥスを発見し分類する。
フェリス・ペンナトゥスの遺骸を分類する。

1932 ……… ルートヴィヒ・マクシミリアン大学から解職される。
1933 ……… ナチズムの勃興に直面してドイツを去り、アメリカ合衆国に移住する。
1934〜49 …… 未知の動物種を求めて、世界中のほとんどすべての国を旅する。発見したのはアナレプス・コミスケオス（1937）、ヘルマフロタウルス・アウトシタリウス、インプロビタス・ブッカベルタならびにミコストリウム・ウルガリス（1938）、ペロスムス・プセウドスケルスとアロペクス・ストゥルトゥス（1940）、ソレノグリファ・ポリポディーダ（1941）、ミオドリフェラ・コルベルカウダとトレスケロニア・アティス（1942）、ケルコピテクス・イカロコルヌ（1944）など。
1950 ……… 白血病とみずからを診断。アメリカ合衆国を去りヘレン・Xとともにスコットランド、グラスゴー近郊の村に落ち着く。これまでに発見した動物種をみずから分類。
1950〜55 …… 資料整理。日記を書きつづける。
1955 ……… 8月7日、スコットランド北部への単独調査旅行中に失踪。教授の車はなんら損傷のないかたちで、ラス岬のすぐ近くで発見される。教授の遺体は見つからず。2か月後、グラスゴーの家は火災に遭い、これにより教授の残した研究資料の一部は失われたものと考えられる。
1958 ……… ヘレン・X、自動車事故で死亡。
1980 ……… カタルーニャの写真家ジョアン・フォンクベルタとペレ・フォルミゲーラ、ペーター・アーマイゼンハウフェン教授の研究資料の残存分を、偶然発見する。

新種・奇種の動物たち

II

本章は、ペーター・アーマイゼンハウフェン博士の残した資料を、われわれ発見者であるジョアン・フォンクベルタとペレ・フォルミゲーラの手により整理、最も一般的な手続きで配列したものである。また、このうちいくつかの動物については、その学名および形態写真以外の一切の記録が残されていない。われわれは不完全と知りながら、それらの動物たちの姿をあえてここに収録することにした。今後も識者の有益な御指摘を待ち続ける次第である。

Solenoglypha Polipodida

ソレノグリファ・ポリボディーダ

門
脊索動物
亜門
脊椎動物
綱
爬虫類

Solenoglypha Polipodida   Cat. 0633765 T.K.
Hauptstamm: Chordata   Stamm: Vertebrata   Klasse: Reptilia galidae

Entdeckungsort: In einem Laubabwerfenden Wald des Staates Tamil Nadu,
Südindien, gefunden, mit Hilfe des Kontaktes 13-16, die rothe Kapelle
arbeitet als ein Sichtbarkeit richter. Die Beobachtung und der Fang des
Tieres zog sich 30 Tage lang hinaus, in denen es unmöglich war
irgendein anderes Exemplar ausfindig zu machen. Es überließte die Gefangen-
schaft bis es anhand künstlicher Methoden eingeschläfert wurde, um seine
innere Struktur nicht wahr zu nehmen.

Datum des Fanges: 30. April 1997

Allgemeines: 140 kleine Knochen, Lumbalteil, Jugastrung, Notionephen der
Wirbeltiere; sein Körperzusammenbau konnte nicht begutachtet werden, aber weist
darauf hin, dass es sich die Füße und das Rückgratbetreuung pflegt sind; das
gefahrene Exemplar ist im vorwachsenen Alter und war ca. 155 cm groß.
Die fossile Basis: Trotz internen Aussprache im Aussehen von Reptilien und nicht
fliegender Vögel. Obwohl die Flügel fehlten sie ist gut
möglich, dass die primitiven Formen sie doch hatten. Die morphologen
Eigenschaften stimmen total mit denen der Zerbelde 2.2
über Nor-Miocen Fauna von Udalk überein. Keinerlei, welches von der Vielendigen
gewesen sie hat überkauft wurde. Es gehört zwar der Unterordnung S. der
Galigen heutigen Neuen Zoologie.

Gewohnheiten: Russesel aggressiv und giftig; es fängt, um sich
zu ernähren, aber auch, aus reiner Lust zum Töten. Es handelt sich um
einen flinken Tier und bewegt, wie blitzschnell vorwärts, aufgrund
der kräftigen Muskulatur seiner vielen Pfoten und den etwas zusätzlichen
Schonung, den ihm durch ein seltsame Wellenbewegung, die der einer
Reptilien gleicht, ermöglicht wird. Wenn es sich seiner Beute gegenüber
sieht, stellt es absolut zupfenglos und bringt ihn einen sehr schrillen
Pfiff heraus, der einem Sirene ähnelt. Seines Haustier behalt diese
Regiseligkeit bis zu der notwendigen Angriffszeit abgewartet hat, im die
Beute zu schlauen; die dauert zwischen 3 Stunden und 3 Stunden.
Seitdem, wer sie die Beute gegen Schwung schluckt. Nach der Pfiff-Phase
stürzt sich die Solenoglypha schnell auf die gehemmte Beute und beisst
sie in den Nacken, wo sein gefühltiges Tief zu einchneiden. Ihr nächstes,
und wenn sie eine Beute aufgegessen will etwas spuckt sie ein,
einen Teil der Magensaft auf des tote Opfer im viertel zu diese hochgradig
saure Flüssigkeit ihre erste Ausnehmengen erg; während es sich im
Kreis um die Beute bewegt. Dabei bringt sie die typische Silbizde
"Glob-lu" im Takt von 3 Pause 1 herrg. Im Gegensatz zu den
bekannten Reptilien, sucht sich die Solenoglypha nach dem Essen niemals aus.
Gang im Tiereich. Sie dagegen beginnt ins wild zu rennen und
unterbricht diese Tätigkeit nur in Augenblick der Darmentleerung.

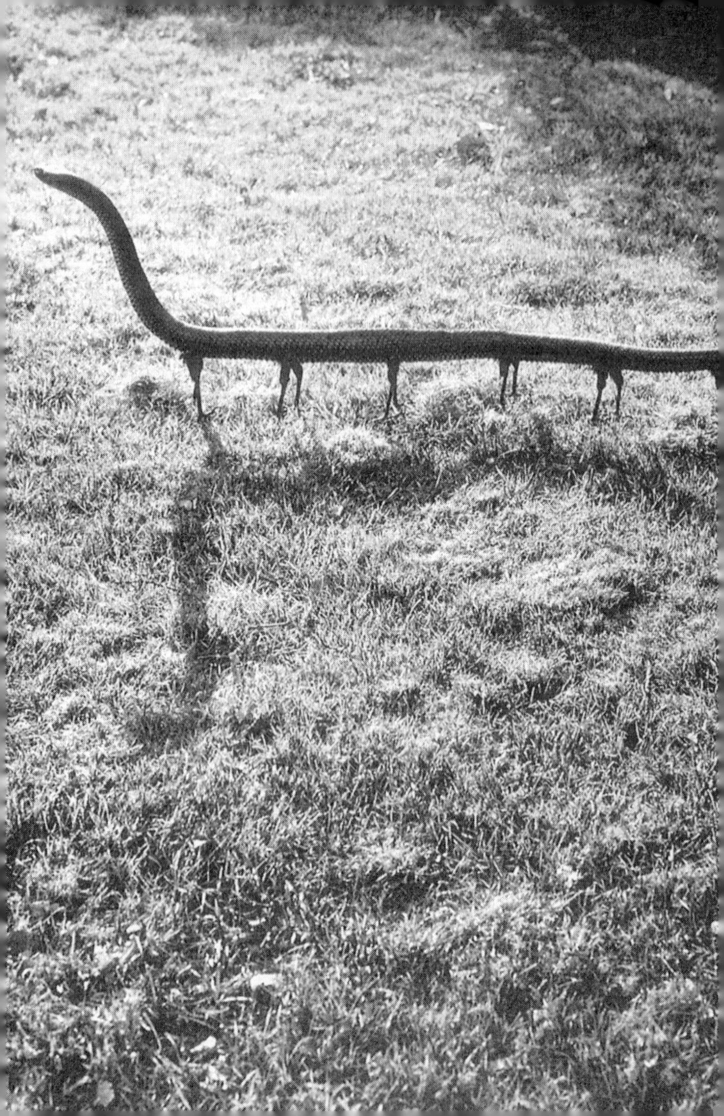

攻撃直前の体勢。

調査旅行の地図。

II

生息地————————インド南部タミル・ナドゥ州の落葉樹林にて、情報提供者(コンタクト)G-16により発見。同人は松露(トリュフ)狩りをしている最中に、ソレノグリファの攻撃をうけたもの。同人による観察・捕獲行動は30日間に及んだが、その間、他の個体は見られなかった。捕獲後もしばらく生存した後、体内構造を調べるために人為的に処理された。

捕獲年月日————————1941年4月30日。

全般的特徴————————骨性の内骨格。肺呼吸。脊椎動物固有の神経系が見られる。生殖系を確認することはできなかったが、あらゆる点から見て卵生有性生殖。捕獲された個体は雄の成体で、全長133センチ。

形態————————爬虫類と飛べない鳥類との混合形態。現在は翼をそなえていないが、原始的な祖型においては翼をもっていた可能性がおおいにある。形態上の特徴は、レイ博士の連絡網によって報告された、モボルクの残存古生物についての報告第21番に対応する。したがってわれわれの「新動物学(ノイエ・ツオーロギー)」分類第8番に対応する。

習性————————極度に攻撃的で有毒。摂餌のためのみならず、ただ殺戮を楽しむためにも、狩猟をおこなう。きわめて俊敏で、12本の足の強

Solenoglypha Polipodida

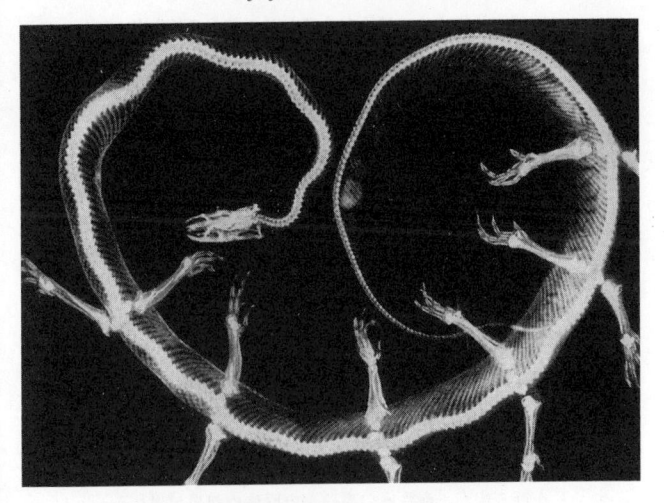

捕獲された個体のレントゲン写真。

い筋肉に加えて、地面から浮かせた体を奇妙な具合にうねらせて弾みをつけることにより、規則正しく迅速に走る。獲物を前にすると完全に静止し、たいへん鋭い口笛状の擦過音を発して相手を麻痺させる。この金縛り状態は、捕食者が獲物の消化に必要な消化液を分泌するのに要する時間、獲物の大きさにしたがって2分から3時間のあいだ、継続する。擦過音を発するこの段階がすぎると、ソレノグリファは身じろぎもできずにいる獲物に飛びかかりその首すじに噛みつき、相手を即死させる。ついで獲物を（遊び殺しではなく）そのまま食べようと思うときには、この肉食獣は死んだ動物の上に消化液の一部を吐き出し、酸性度の高いその液体の効果が現れるのを待つあいだ特徴的な「グロブ・ト」という鳴き声を3拍：休止：1拍のリズムで声高に発しながら、獲物の周囲をぐるぐると回る。他の既知の爬虫類とはちがって、ソレノグリファは食後に休息することはない。反対に、つねに異常な勢いで走り回り、この運動は排泄以外によっては中断されることがない。

Solenoglypha Polipodida

口笛のような音を発しているところ。

II

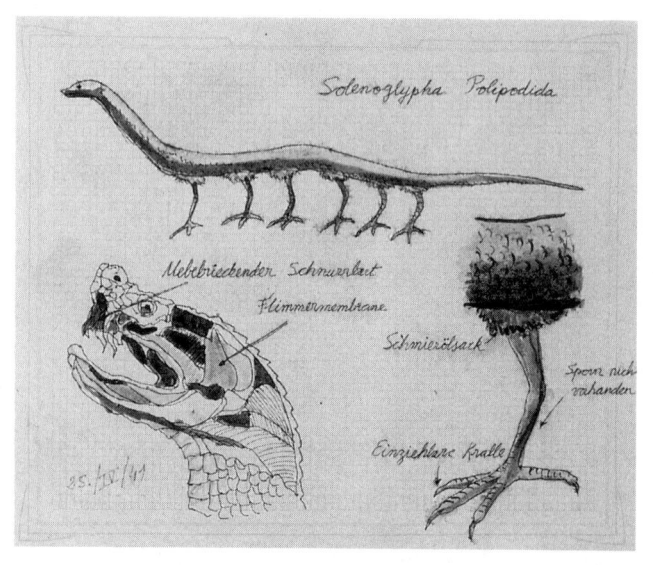

フィールドでのデッサン。

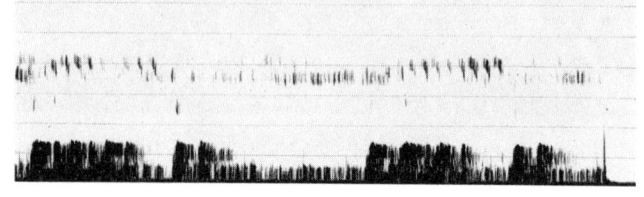

鳴き声のソノグラム。

Solenoglypha Polipodida

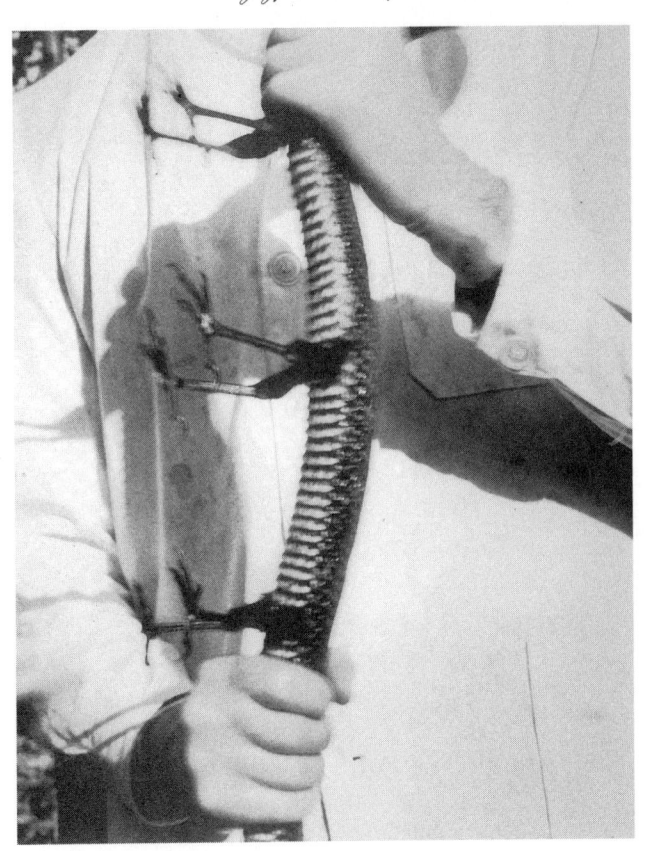

捕獲。

II

研究室にて。

Micostrium Vulgaris

ミコストリウム・ウルガリス

門
脊索動物

亜門
脊椎動物

綱
哺乳類

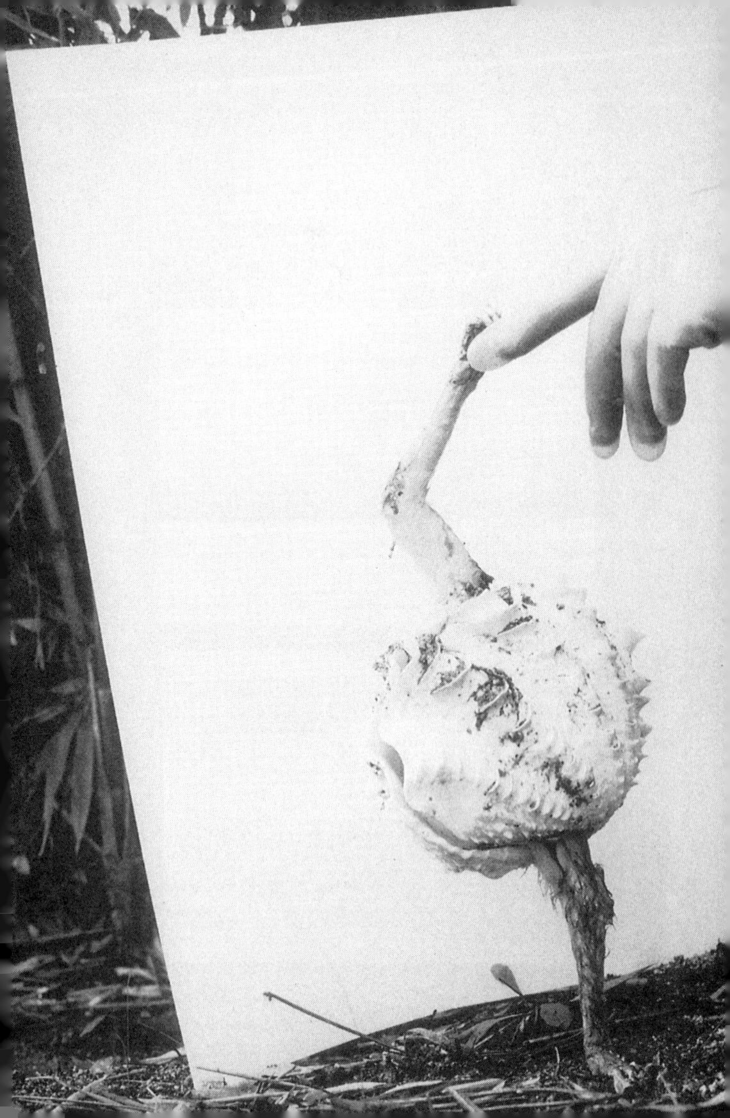

アーマイゼンハウフェン教授と遊ぶミコストリウム。

II

生息地――――――――セワ川河口（アフリカのイギリス保護領シエラ・レオーネ）付近の湿地帯にて、情報提供者 D.P.-53（コンタクト）により発見される。同人は 10 個体からなるコロニーを、27 日間にわたって観察することができた。写真の個体は雄の成体。捕獲後 3 日間と 5 時間生存した。

捕獲年月日――――――――1938 年 1 月 11 日。

全般的特徴――――――――骨性の内骨格を有し、体表は二枚貝のような貝殻状のもので保護されている。呼吸は混合型（肺呼吸＋鰓呼吸）。心臓は 1 心耳、2 心室。脊椎動物固有の神経系が見られる。卵生有性生殖。雌は 1 年に 1 個だけ産卵する。観察された個体群では、体長は最大 70 センチに達する。

形態――――――――内部構造は脊椎動物と二枚貝の奇妙な混合形態で、その諸特性からすると「新動物学」（ノイエ・ツオーロギー）分類第 15 番に近い。外部形態は、情報提供者ノートの会話第 30 番で M－3 がオナール・K に語っている、ある種の両生類のそれに驚くほど似かよっている。とはいえ外骨格にはいくつかの重要な差異が見られ、外部から照射されたガンマ線（きわめて集中的に照射された第 2 種ガンマ線）の影響でひきおこされた奇形の可能性を確認する必要がある。

Micostrium Vulgaris

川辺で、棒の一撃による狩猟。

II

習性————————この動物は群棲性をもち、さまざまな個体数（6〜30）からなるコロニーをなして生活する。きわめて人なつこく、人間との接触を回避せず愛想よくじゃれつきさえする。ただし人間の声を嫌うので、接近するときには完全な沈黙を保たなくてはならない。湿地的環境における擬態能力にすぐれる。主食である魚を狩猟するために「武器」（ふつう川縁で見つかるきわめて固い木の枝）を使用するという点は、特筆しなくてはならない。また、婚姻に際しての言い寄り行動は特に奇妙だ。雄は3日間にわたって特徴的な「クリイイア・クルック」という歌をうたいながら雌を追いかける。それに対して雌は、その一本足でぐるぐる回転しつつ垂直に跳びはねることで答える。4日目、雌（雄の3分の1の大きさしかない）は雄の貝殻の内部に完全に潜りこみ、そこで約3秒におよぶ交尾が行なわれる。この交尾が持続する短い時間、雄は白っぽい青色をしたきわめて強烈な光を放射するため、猛禽類の容易な攻撃目標となる。老齢の個体はより若い個体の腕で打撃をくわえられて死ぬのが普通であり、その様子はほとんど呪術的・宗教的な儀礼そのものだ。

Micostrium Vulgaris

ミコストリウムの生息環境。

II

フィールドでのデッサン。

Threschelonia Atis

トレスケロニア・アティス

門
脊索動物
亜門
脊椎動物
綱
亀甲胸類

Threschelonia Atis Cat. 77825 CT-J1
Hauptclan: Anatele Stamm: Vertebrate Klasse: Felidicata-Carinatae

Entdeckungsrat: Lebt auf der Insel Conorzia im Galapagos-Archipel (Ecuador). Obwohl in großer Zahl vorhanden, lässt sich das Tier selten sehen und versteckt sich überall in seinem Gehäuse, sobald es die Gegenwart eines anderen Lebewesens ahnt. Die Beobachtung möglich machen von einem gewissen Entfernung aus erfolgen und 377 sich so lange hin. Das fotografische Exemplar wurde mit einem Teleobjektiv gefangen. Es starb nach 7 Tagen, in denen es sich weigerte, irgendeine angebotene Nahrung zu sich zu nehmen.

Datum des Fangs: 5. Juli 1982.

Allgemeine Merkmale: Immerschale aus knorpelartigem, gefüllten Bestand, der sehr widerstandsfähig ist. Langatmung. Epizentraler Nervensystem mit Sternentwicklung. Fortpflanzung durch Eier, mit Geschlechtstrennung. Es legt pro 5 Jahre drei Eier.

Durchschnittliche Maße: 50 cm groß und 70 cm lang.

Morphologie: Die morphologische Untersuchung der Threschelonia Atis setzt es in unmittelbaren Zusammenhang mit dem Komplexon, die von Telly-3, über die Fauna von "Volta Secca", in der Unterteilung der 14 des Buches der Pentatis erwähnt worden. Sein Wanderungsverhalten würde diese These unterstützen. Perzylen führt uns die Blutuntersuchung zu dem unzweifelhaften Schluss, dass es sich um eine mit dem Blutschema 238 eng verwandtes Variante handelt. Es würde aber der Untersuchung 30 der heutigen Neuen Zoologie entsprechen.

Gewohnheiten: Das Threschelonia Atis ist im Dialekt der Eingeborenen unter dem Namen "Hugo-ge" ("Der Verschwindende") bekannt. Dieser Name ist auf sein geheimnisvolles Zugfahren zurückzuführen. Im September, immer in der dunkelsten Nacht des Monats, fliegt es hinauf in Richtung Meer, vorbei es stets dem Sturmbedingen folgt. Sein Flug ist so schnell und steil, dass es unmöglich war, seinen Weg zu bestimmen. Fakt ist, dass man dieses Tier je seinem anderen Region der Erde kennt; der Tier, das jeden September sozusagen verschwindet und am 3. Mai des folgenden Jahres zurückkehrt. Es kann sein, dass es nur scheint zu verschwinden oder, wo es sich plötzlich versteckt hält. Von den drei Eiern bleibt es nur das größte aus; die anderen beiden frisst es auf. Sein Sommer ist gekannt und kann nur in den drei Monaten in den Galapagos entnommen werden Tageilen und in den restlichen Monaten der Jahres, zumindest soweit es sich auf der Insel befindet, verhält sich das Threschelonia vollkommen ähnlich. Der Sonnig klingt folgendermaßen: "Xuuuuu-it..... xuuuu-it". Es war nicht möglich, den Aktion eines dieser Tiere während ihres Aufenthaltes auf der Insel zu beobachten, zu den nicht nach der alljährlichen Wanderung nur die jungen Individuen zurückkehren. So bleibt ungeklärt, ob sich das Threschelonia Atis dem Tod gegenüber auf eine besondere und typische Art und Weise verhält.

57

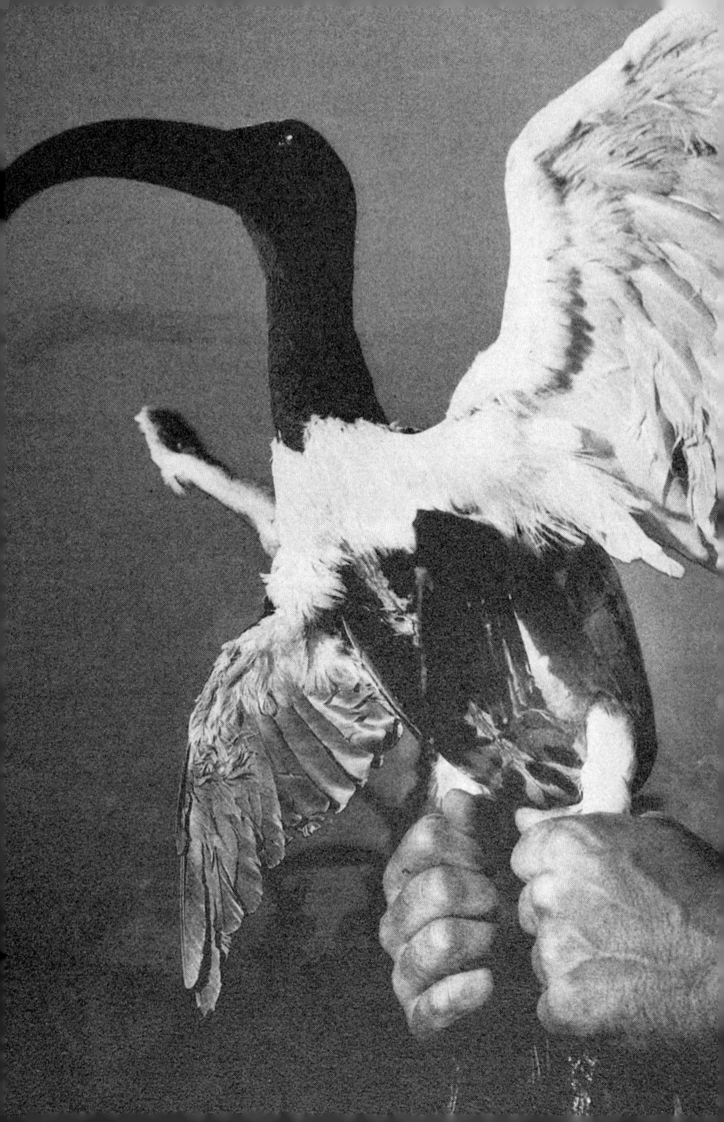

捕獲の決定的瞬間。

II

生息地————————ガラパゴス諸島（エクアドル）ヘノベーサ島に生息。生息数は豊富だが目にすることはむずかしい。危険を感知すると、ただちに甲羅の中に閉じこもってしまうからだ。観察は一定の距離をおいて行なうことを余儀なくされ、20日間におよんだ。撮影された個体は、麻酔弾を使用して捕獲。のち、7日間にわたって一切の餌を拒んだすえ、死亡した。

捕獲年月日————————1942年7月5日。

全般的特徴————————柔軟できわめて折れにくい軟骨性の内骨格を有する。肺呼吸。星形に分布する神経系。卵生有性生殖。年間産卵数は3個。平均体高は50センチ、翼幅は70センチ。

形態————————トレスケロニアを形態学的に見ると、情報提供者ノート第14番に記された会話で「V・ラ・グランデ」の動物誌に関してVelg-2が報告している個体のことがただちに想起される。血液分析を行なうと、疑いの余地なく血液分類表218番にきわめて近い変異種であることがわかる。これは「新動物学」分類第10番に対応。

習性————————トレスケロニアは、ヘノベーサ島民の方言では「ヘンゴゴ」（姿を消すもの）

Threschelonia Atis

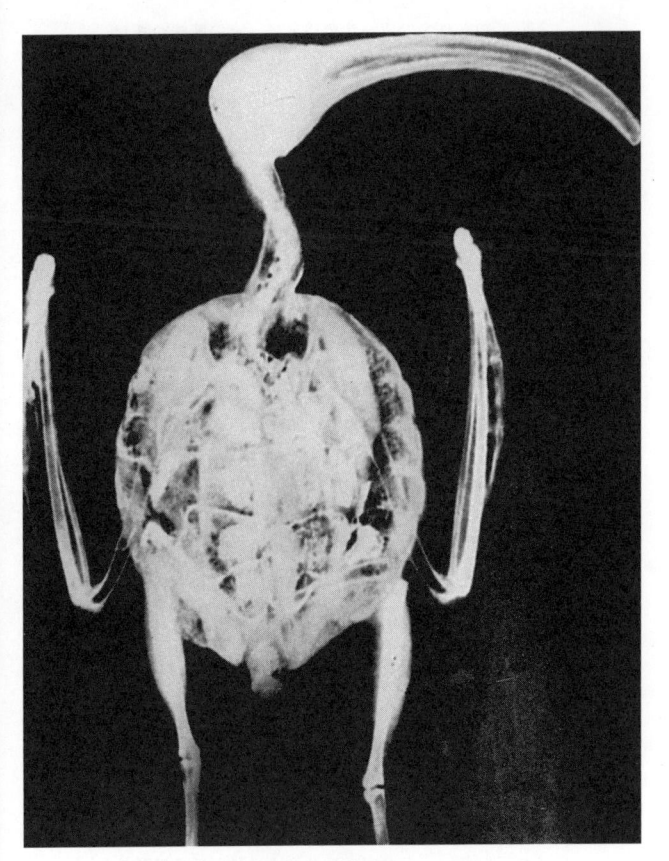

個体のレントゲン写真。

として知られている。この俗名は、その興味つきない移住行動に由来する。毎年9月になると、この月のもっとも暗い夜を選んでトレスケロニアのコロニー全体がいっせいに飛び立ち、海にむかい、フンボルト海流を遡行しはじめる。その飛跡はめまいがするほどの急上昇を見せ、最新型の飛行機によっても追跡しえないので、これまでのところ渡りのルートを確定することはできずにいる。実際、地球上のその他の場所ではこの動物は見られたためしがなく、いわば毎年9月に姿を消してはまた翌年の5月3日に突然ヘノベーサ島に戻ってくるといった状況だ。巣はきわめて接近困難な場所に営まれ、日中はずっとその中に隠れている。3個の卵を産卵し終えると、そのうち最大のものを選んで抱卵し、残りのふたつは食べられてしまう。その鳴き声は甲高い歌のようで、産卵直前の3晩にわたってのみ聞かれる。日中ならびにその他のすべての夜のあいだ、トレスケロニアは完全な沈黙を守っている。その歌は「シューイッ……シューイッ」と聞こえる。

　渡りの後、同島へはただ若い個体だけが帰ってくるが、島への滞在期間中のこの動物の死亡例は確認されていない。したがって死をまえにしてこの動物

Threschelonia Atis

死後、研究室にて解剖された。

がなんらかの特別あるいは特徴的な態度を見せるかどうかは、まだわかっていない。

フィールドでのデッサン。

Analepus Commisceos

アナレプス・コミスケオス

門
脊索動物
亜門
脊索動物
綱
哺乳類

Analepus Commisceor

Hauptstamm: *Chordata*   Cat.: 0072066-23
                            Klasse: *Mammamalia*

Entdeckungsort: Er wurde nahe dem Mono Lake in Kalifornien entdeckt. Das beobachtete und photographierte Exemplar lebte friedlich mit einer Kolonie von Cyprus Olis, die ihn trotz der Unterschiede problemlos zu akzeptieren schienen. Wegen des freundlichen und zutraulichen Charakters der Analepus stellte sich die einverleibte Beobachtung als einfach heraus. Das Tier wurde beringt und wieder freigelassen.

Beobachtungszeitraum: 23. bis 30. Juni 1937.

Allgemeine Merkmale: Tierart Säugetier, Knochengerüst. Lungenatmung. Vermehrung mit ausgewählten Nachwenden. Fortpflanzung durch Eizelle, jedoch geschlechtlich. Das beobachtete Exemplar war ein männlicher Jüngling. 40 cm hoch und 30 cm lang.

Kopfoberseite: Er handelt sich um eine Art Baumbewohnende Ente mit einer Tiefform, die an die Lopoden erinnert. Wahrscheinlich ist das Tier das Ergebnis einer widernatürlichen Kreuzung, die wohl vor etwa 1000 Jahren stattfand. Die Ernährung besteht aus Moos und verschiedenen Pilzarten. Die Füße scheinen für ein Leben im Wasser nicht geeignet zu sein, doch schwimmt er mit Anmut und Schnelligkeit. Es ist der 2. Unterordnung der Neuen Ecologie zuzuzählen.

Gewohnheiten: Schwer zu sichtendes Tier wegen der einzigen, noch lebenden Exemplare. Dieses Exemplar konnte nur dank der Mitarbeit all der Ottomaren beobachtet werden, große Kenner dieser Spezies, die sie als Arbeitstiere und Transportmittel einsetzen. Der Analepus Commisceor wohnt in Baumlöchern in etwa zwei Metern Höhe. Normalerweise wählt er Bäume mit einem glatten Stamm, um seinen Feinden den Zugang zu erschweren. Er bevorzugt weite, waldreiche Gegenden in der Nähe eines Sees. Mittels einer sprungstarken Füße springt er von Ast zu Ast mit großer Geschicklichkeit. Bei diesen Sprüngen, die er zur Nahrungssuche innerhalb des Waldes unternimmt, benutzt er praktisch nie die Flügel, obwohl diese auch sehr stark sind und für lange Flüge geeignet wären. Sein Gesang dient auch dazu, unerkannt zu bleiben, da es sich um einen Gesang des gemeinen Graugans mit leichten Variationen in Tonhöhe und Rhythmus, handelt. Wenn der Analepus stirbt, kümmert sich das Volk von Ottomaren um das feierliche Begräbnis und das Tier wird neben dem Baum begraben, auf dem es sein Nest gebaut hatte.

発見時。調査隊一行をまえにしても脅えない。

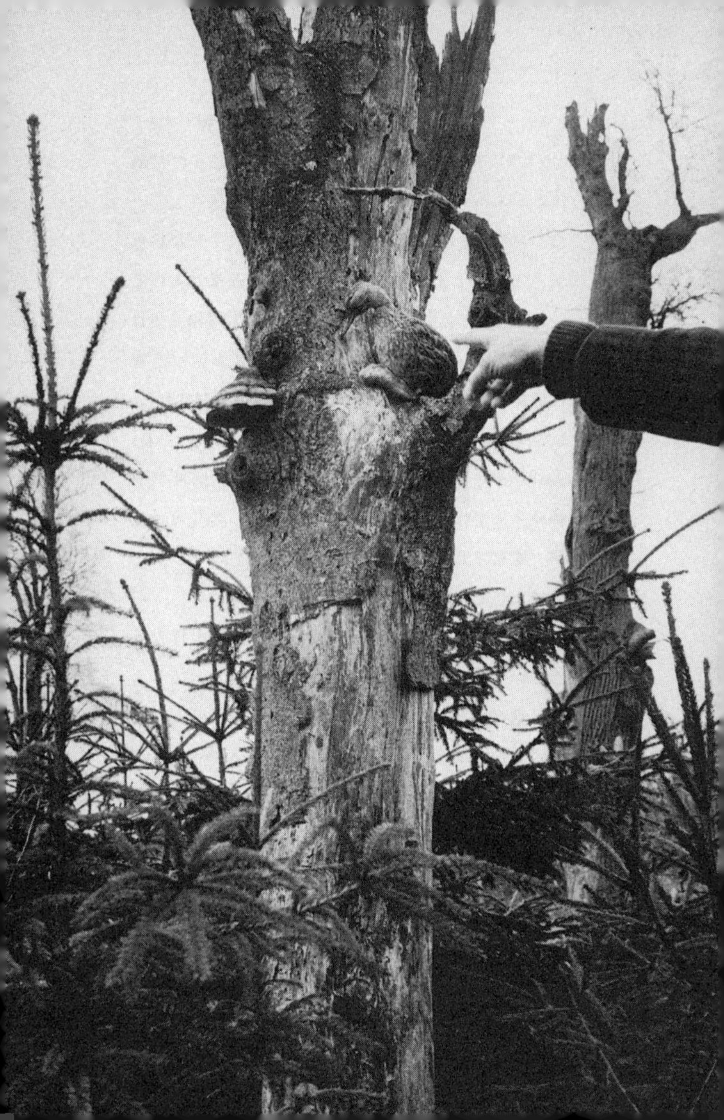

II

生息地————————カリフォルニア州（アメリカ合衆国）モノ湖畔にて発見。観察・撮影された個体はオオハクチョウのコロニーと平和に共存していた。ハクチョウの群れは、種々の差異にもかかわらず、これといった問題なくアナレプスを受け入れているようだった。観察は、アナレプスの温和で慣れやすい性格のせいで容易であり、1週間におよんだ。観察個体は印をつけられたうえでそのまま放任された。

観察年月日————————1937年6月23日から30日。

全般的特徴————————骨性の内骨格。肺呼吸。神経系は平行曲線型の末梢神経をもつ。卵生有性生殖。観察された個体は若い雄で、体高40センチ、翼幅120センチ。

形態————————これは樹上生活を行なうカモの一種であり、ウサギ科の動物を思わせるかたちに進化した足をもっている。これは1000年ほど前にさかのぼることのできる、なんらかの非自然交雑種の子孫だという可能性がある。地衣類、きのこ類、松ぼっくりを食べる。われわれの「新動物学」分類第2番に対応。

習性————————生存していると推測される個体数がきわめて少ないため眼にするのは大変む

Analepus Commisceos

モノ湖畔で。

ずかしい動物だが、この個体はオスマリアンの協力によって観察することができた。彼はこの種について精通している人物で、彼とその身内の者たちはこの種をさまざまな作業、そして運搬にも使用する。アナレプスは樹木の幹の高さ2メートル以上のところにある穴に住む。普通、敵が巣に近づくのをむずかしくするために、すべすべした幹の木を好む。森林地帯を広範囲にわたって移動するが、湖水からあまり遠く離れることはない。両脚を使った跳躍により、木の枝から枝へとすばやく移動する。食物を求めてつねに行なっている森林内でのこのような移動に際しては、ほとんど翼を使うことはないが、翼もまた脚と同様にきわめて強力で、長距離飛行に適している。鳴き声はありふれた種類のカモの声に、かすかな音色の変化といくぶんかより強いシンコペーションのあるリズムをもたせたもので、アナレプスの存在を目立たせない役に立っている。1羽が死ぬと、オスマリアンの一党はそれを埋葬するのだが、これはその個体の巣のあった木のそばで、荘厳かつ感動的な儀式として行なわれる。

Analepus Commisceos

典型的な巣における樹上生活ぶり。

II

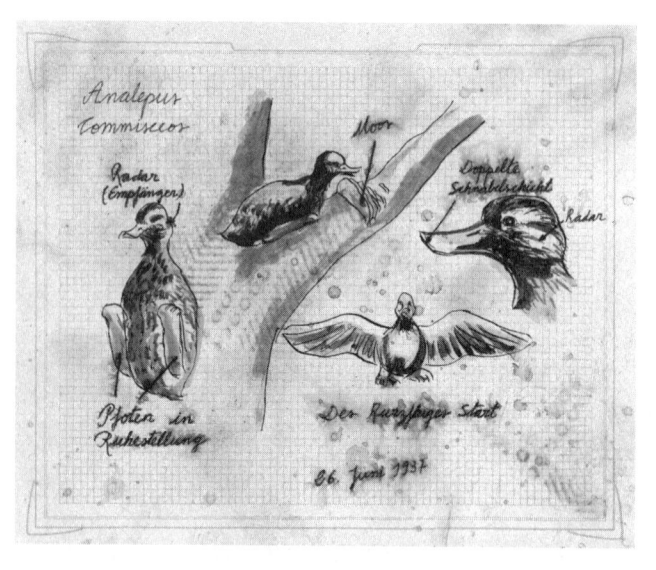

フィールドでのデッサン。

前方から見たところ。

Myodorifera Colubercauda

ミオドリフェラ・コルベルカウダ

門
脊索動物
亜門
脊椎動物
綱
哺乳爬虫類

Myodorifera Colubercauda   Cat.: 03HXTT-475
Hauptstamm: Chordata   Stamm: Vertebrata   Klasse: Mammalia-Reptilien

Dieses Exemplar erhielt ich am 6. Dezember 1942 von einem anonymen Korrespondenten. Besagter unbekannter Ihrer schickte es mir in einer tiefgekühlten Kiste. Im gleichen Paket lag ein kurzer Brief, in dem er behauptete, meine Forschungstätigkeit zu kennen und mir dabei, auch wenn er sich aus ungewissen Gründen nicht zu erkennen geben möchte, behilflich sein wolle. Er bekräftigte ferner, daß das Tier in Ufer des Plisser Meeres, Südakota (U.S.A.) entdeckt worden war und man es am 25. November desselben Jahres gefangen hatte. Er sandte auch noch Negative von Photographien des Tieres in seinem natürlichen Wohngebiet mit. Leider gab es keine Rückantwort über die Beobachtung des Tieres, seiner Gewohnheiten. Noch gut zwei Wochen habe ich gelitten nach Südakota, in der Hoffnung ein lebendes Exemplar zu finden, aber meine Suche, die ich zwei Monate widmete, blieb erfolglos.

Allgemeine Merkmale: knöchernes Innenskelett, Lungenatmung, Nerhaltung der Wirbeltiere. Das Teil Reptil-Schwanz übernimmt alle Funktionen, mit Ausnahme der Verdauung, die geteilt ist. Lebendgebärendes Fortpflanzungssystem mit Geschlechtstrennung. Das gefangene Exemplar ist ein erwachsenes Männchen, 35 cm groß und 40 cm lang.

Morphologie: Es entspricht einer Mischung von Säugetier und Reptil, wo obwohl es scheint, daß der Teil der Reptilie sich normalerweise in der Luft befindet, ist mir dann die Ernte beschrieben würde, wenn es aussehen möchte. Allem Anschein nach dürfte es Mobak entstammen, wie die Solmoglypha Petipolidas, aber die Verbindungspersonen von Dr. Jay können oder will diesem nicht bestätigen. Wie es auch immer sei, gehört es wahrscheinlich der Unterordnung 8 der Heutigen Neueren Zoologie.

73

爬虫類部分が後方を守る。

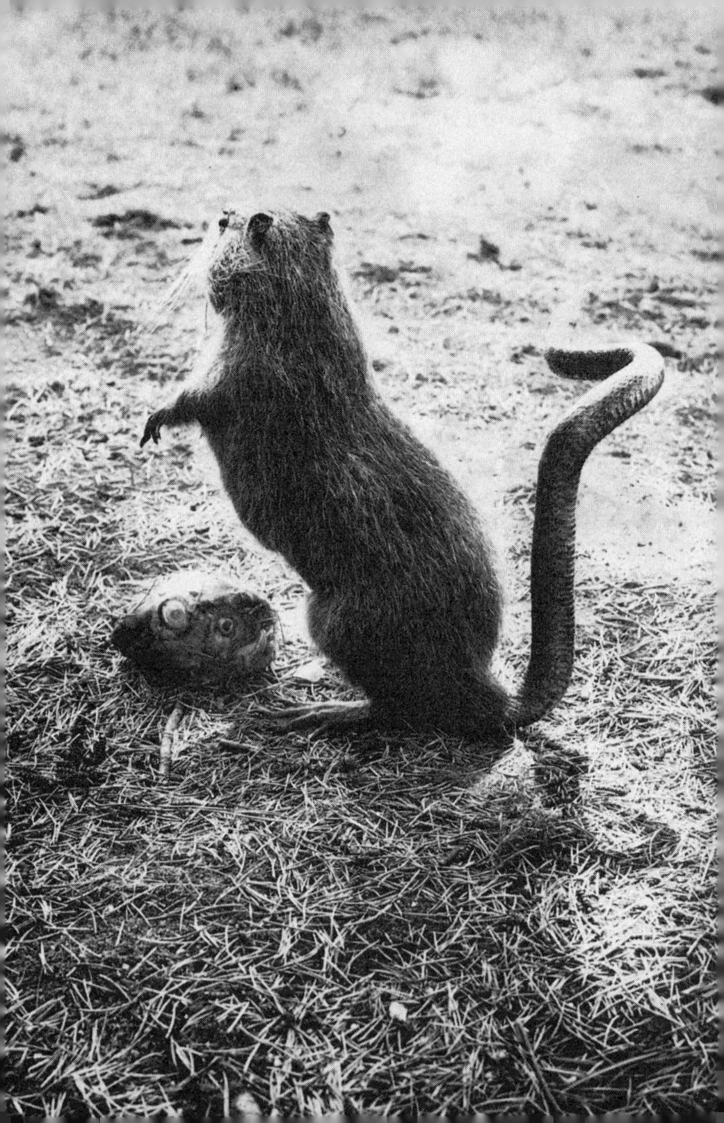

II

　この標本は、1942年12月6日、ある未知の人物から私のもとにもたらされたものだ。この匿名の情報提供者は、この動物をアイス・ボックスにおさめて送ってきた。小包には手紙が添えられ、私の研究を知り協力したいと思うが、理由を明かせない諸事情のために匿名のまま失礼する、と書かれてあった。そこで述べられているところでは、この動物はサウス・ダコタ州（アメリカ合衆国）のモロー河畔で発見され、同年11月25日に捕獲されたもの。また、野生生息状態におけるこの動物を撮影した数枚の写真のネガも、同時に送られてきた。けれども残念ながら、この動物種ならびにその習性に関する観察記録については、なんの説明もなかった。これを受けとった2週間後、私はこの種の生きた個体を実際に目にしようと思ってサウス・ダコタ州におもむいたが、結局2か月の長きにおよんだにもかかわらず、この探索はむなしく終わった。

全般的特徴————————骨性の内骨格を有する。肺呼吸。脊椎動物固有の神経系。爬虫類である尾の部分は、ただ消化器官が共有されているのを除けば、体の他の部分からはまったく独立した機能をもっている。生殖系は、胎生有性生殖。捕獲された個

Myodorifera Colubercauda

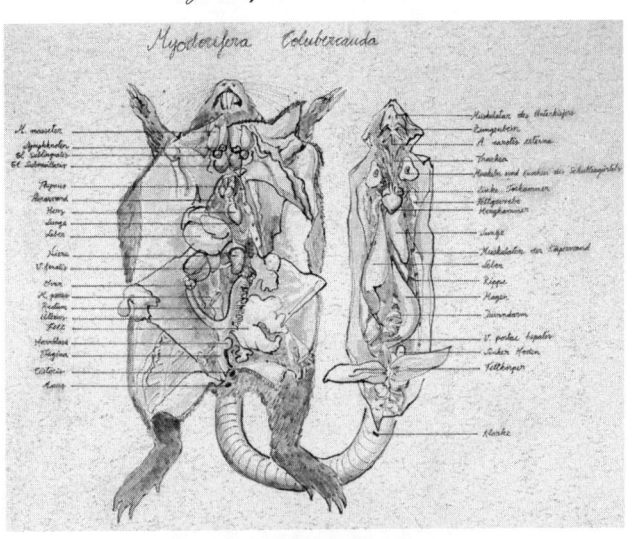

解剖デッサン。

全力疾走中。

II

体は雄の成体で体高35センチ、体長40センチ。

形態————————————これは齧歯類と爬虫類の混合だが、爬虫類部分は通常空中生活を続け、ただ休息の際にのみ着地する。どうやらソレノグリファ・ボリボディーダとおなじくモボルク原産であるかとも思われるが、レイ博士の連絡網はこの点を確認することができなかったか、あるいは確認を避けた。いずれにせよ、われわれの「新動物学」の分類第8番に対応するものと思われる。

Myodorifera Colubercauda

前方から見たところ。

II

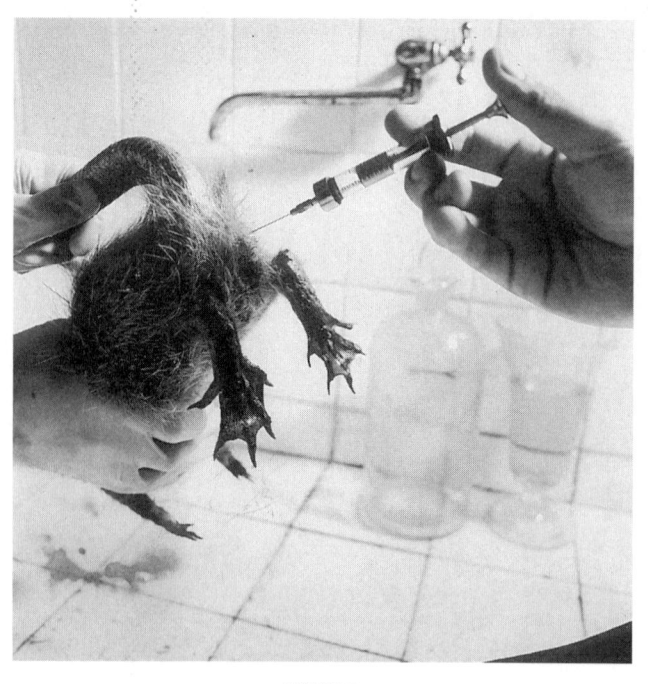

研究室にて。

Perosomus Pseudoscelus

ペロスムス・プセウドスケルス

門
脊索動物
亜門
脊椎動物
綱
哺乳類

Perosomus Pseudoscelus Tel.: 75.245-XXH

Hauptstamm: Chordata   **Stamm:** Vertebrata   **Klasse:** Mammalia

Entdeckungsort: In einem Birnwald in Česka Bělá, Böhmen (Tschechoslowakei) gefunden. Im Verlauf einer vergnüglichen Ausflugs, der sich mit meinen Schulfreund hat sich ereignet. Innerhalb von 16 Tagen konnten wir 5 Familien auf ihnen Rücke zu 4 fühler beobachten. Das fotografierte Exemplar ist ein ernwachsen Weibchen. Er steht an eine Eigenschaft im Augenblick des Fanges.

Datum des Fanges: 3. Mai 1970.

Allgemeine Merkmale: Mittelschwimmer Innerwelt, lungenatmung, Wermerpflichte der Sukkulenten. Ihre Beweglichkeit ist total Verkümmerung der Erwachsenen. Fortpflanzung durch Eier, mit Druckleistikstimmung. Der gefangene Exemplar hat 11 cm lang und 10 cm groß von der Ohrenspitze bis zum Endteil.

Morphologie: Das cryptisches Exemplar, beinahe identisch, aber mit ein gewissen Abweichungen, die auch bei den Raubtieren aufstieget und einem Verdauungsystem, das prinzipiell für eine aus Insekten bestehende Nahrung vorbereitet ist. Figure 1 meint, dass er sich in der Übersiedlungsphase auf die Erde befindet und hofft auf eine schnelle und vollständige Anpassung. In seinem jetzigen Zustand würde er zur Unterordnung 3. der heutigen Neuen Zoologie gehören.

Gewohnheiten: Wenig beweglicher Tier; er bewegt sich innerhalb einer sehr kleinen Fläche, immer in der Nähe seiner Nester, das im Inneren einer Linie baut und in dem so sich beim leisesten Angeichen von Gefahr versteckt. Seine Nahrung besteht hauptsächlich aus großen Insekten, und es preist mit Vorliebe Fangheuschrecken. Besonders interessant ist eine Art und Weise zu fangen. Wenn er sich eine Beute gegenüber befindet, senkt er den Kopf mit einer knappen Bewegung, bis seine Ohren den Boden berühren, einer vor und hinter Ohren ohne ein Insekt; sonders dieses keineswegs zu flicken kann. Mit seinen kräftigen Rahmen spießt er das Insekt auf und saugt ein Inneres mit des Saugnäpfen, die seine Zunge bedecken. Die Hülle des Opfers schnelt er dann ab und spuckt sie mit Hilfe der Vordepfoten aus. Es handelt sich um einen monogamen Tier, der beim Geschlechtsakt mit seinem Partner zu dreissigmal am Tag kopult robei das Männchen einen notorischen und schmuckvollen Gesang anstimmt. Es übt das Stichophagie gegenüber alle Individuen der Familie, die starke Dafür werden sie das gleiche Saugsystem wie bei den Insekten an; allerdings spucken sie danach nicht aus, was es Ursachlichkeiten bilden und zeigt so in einem Loch bei, welches sie selber mit den Hinterpfoten machen. Zu ihm Grabstätte kehren sie niemals zurück um zu fangen.

81

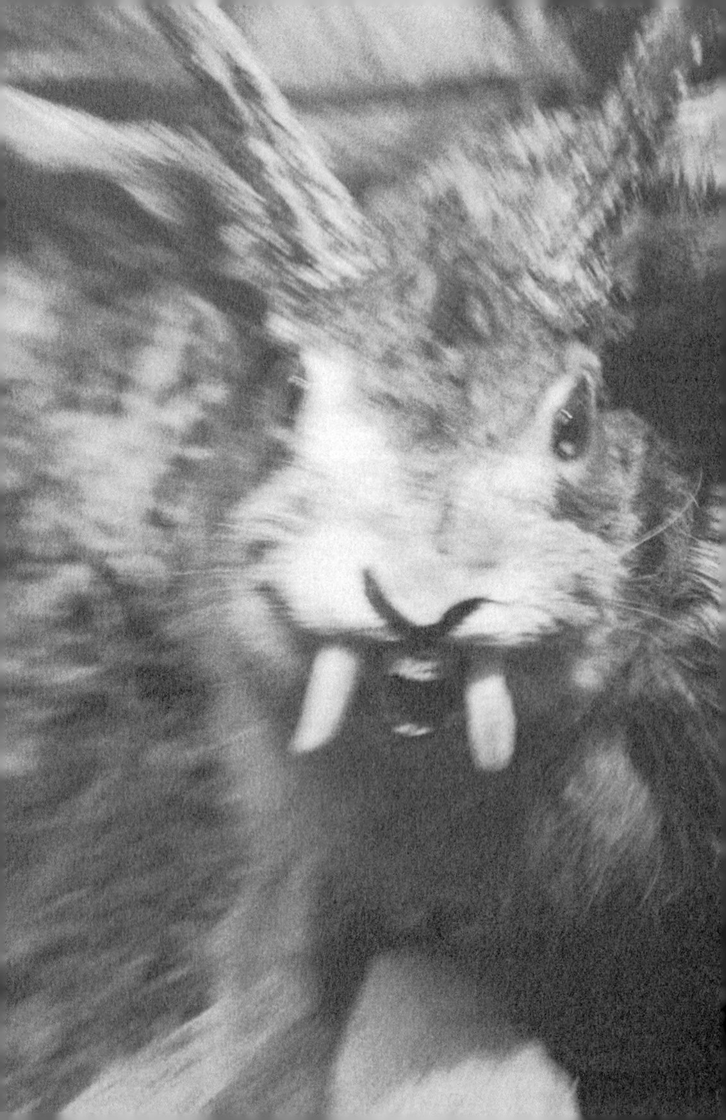

発見されて攻撃に転じたところ（屋外にて）。

II

生息地————————私の助手ハンス・フォン・クーベルトとともに決行したガイド付調査旅行中に、ボヘミア（チェコスロヴァキア）はチェスカ・ベラの松林にて発見。42日間に6ヘクタールにおよぶフィールド内で5家族を観察することができた。撮影された個体は雌の成体。捕獲と同時に心臓発作で即死。

捕獲年月日————————1940年5月3日。

全般的特徴————————半骨性の内骨格。肺呼吸。脊椎動物固有の神経系。嗅覚の完全な退化が見られる。卵生有性生殖。捕獲された個体は体長15センチ、地面から耳の先端までの高さが10センチ。

形態————————オリクトラグス・クニクルスとほとんど同一だが、単孔類特有のいくつかの変異点があり、また基本的な餌として昆虫を捕食するのに適応した消化器官をもっている。わが親友、アアル・ルは、同種が湿地帯的な水陸混合の環境への移住段階にあると考えており、同種がこれに速やかつ全面的に適応することを確信している。現段階でいえるかぎり、われわれの「新動物学」の分類第2番に対応。

習性————————移動範囲の狭い動物で、松の木の根本に作る巣の周辺の小さな区域のみを動

Perosomus Pseudoscelus

捕獲された個体。

きまわり、危険を少しでも察知するとただちに巣に逃げこむ。基本的には大型昆虫を捕食し、特にカマキリを好む。その狩猟の仕方はとりわけ興味深い。獲物を見つけるとただちに頭を低く下げ、片耳を昆虫のまえ、もう一方の耳を昆虫のうしろの地面に着けて、その逃げ道をふさぐ。ついで強力な歯で昆虫に嚙みつき、その甲をばりばりと嚙み砕いては、舌にあるいくつかの吸盤で体液を吸いとり、殻は前足をうまく使って捨てる。この動物は一雌一雄の単婚性であり、毎日約30回交尾するが、交尾に際して雄は奇妙な憂愁をただよわせたメロディーのある歌をうたう。老衰で死んだ家族の死体に対して、昆虫の場合とおなじようにして体液を吸いとるという共食いを行なうが、この場合はその後で、自分の後足で地面に掘った穴に、いったん嚥下した体液をまとめて吐き出す。そしてこの「埋葬」の場所では、それ以後けっして狩猟を行なわない。

Perosomus Pseudoscelus

アーマイゼンハウフェン教授の研究室にて解剖されたペロスムス。

II

フィールドでのデッサン。

Ictiocapra Aerofagia

イクティオカプラ・アエロファギア

自然状態のイクティオカプラの個体。

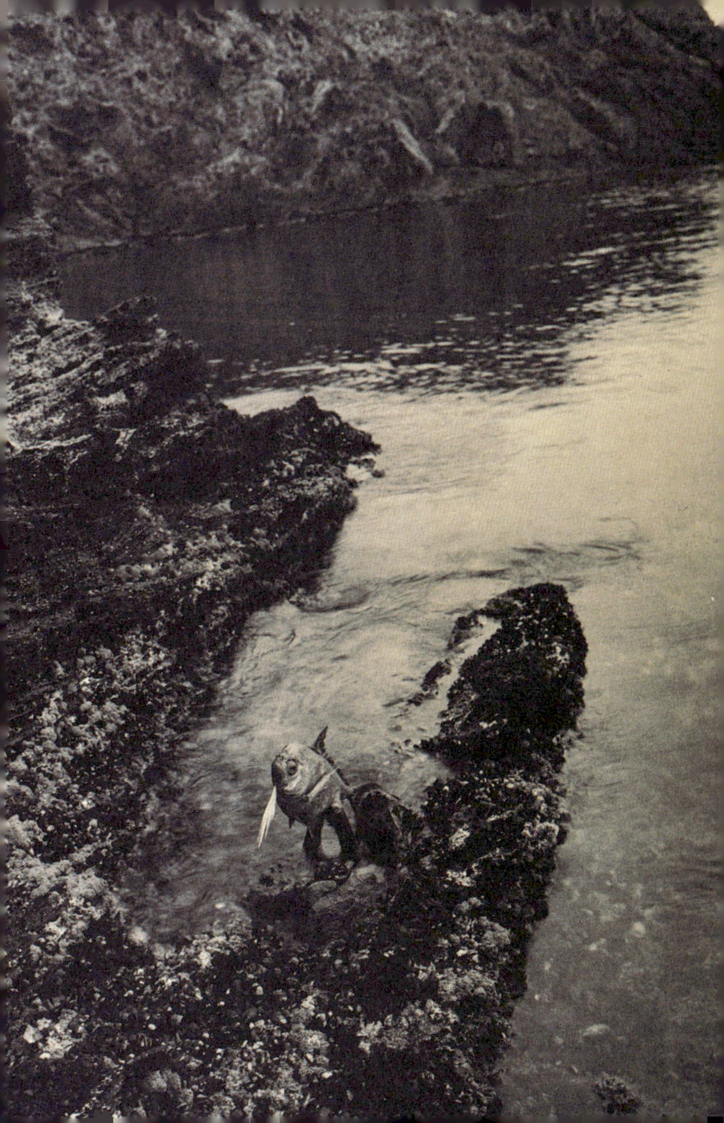

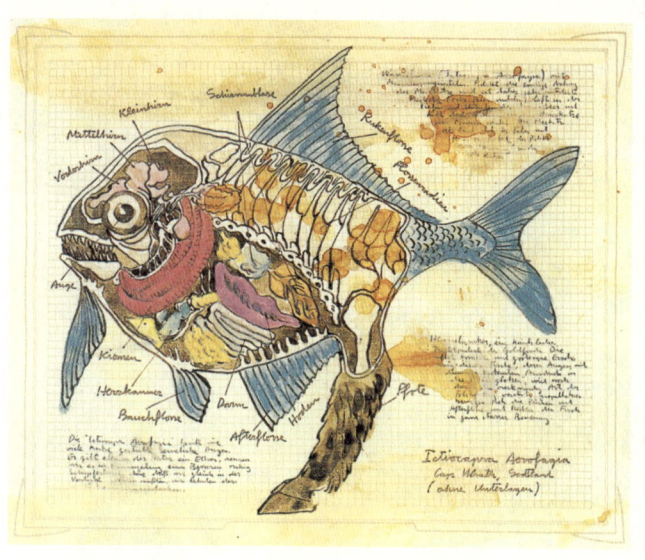

解剖デッサン。

Ictiocapra Aerofagia

水から出るところ。

II

直立したイクティオカブラ。

Wolpertinger Baccabundus

ウォルペルティンゲル・バッカブンドゥス

門
脊索動物
亜門
脊椎動物
綱
単孔類

Wolpertinger Baccabundus — Cat.: 65103K-32?
Hauptstamm: Chordata   Stamm: Vertebrata   Klasse: Monotremata

Entdeckungsort: Von meinem Assistenten Hauro von Freibert im Gebiet des Schwarzwalder (Deutschland) entdeckt und photographiert. Nach Aussage von Hauro konnte es zwei Exemplare vollkommen geschickten Fotografien sehen, die ihm bei zu gelegen, sich ihnen in aller Ruhe zu nähern. Sie hätte einen Eindruck, klein und dumm zu sein. Trotzdem war es nicht möglich, sie zu fangen, da sie allzu schnell und in "Sätzen" weren. Jedesmal, wenn sie er zu fangen hatte, verschwanden sie plötzlich unter zu zwei Pferden. Als ich am Entdeckungsort einbrachte, war es mir nicht vergönnt, ein Exemplar diese seltsamen Art aufzuspüren.

Datum der Beobachtung: 17. September 1931

Beobachtungen: Im ersten Moment habe ich daran gezweifelt, die Wolpertinger in die Sauce Erdige aufzunehmen. In Wirklichkeit habe ich sogar an die Existenz dieses Tieres gezweifelt, was sollen des Alkohols, welches meinem Mitarbeiter mit genauere Zeit zu schaffen macht war nur gerade des Grund seines Karpfenaufenthalts im Schwarzwald, war mich der Gedanken vernünftig, dass es sich um Halluzinationen meines armen Freundes unter dem Einfluss eines besonderen heftigen Delirium Tremens handelte. Als mir heute morgen Hauro jedoch die Photographien gab, die er viel gemacht hatte, konnte ich beim besten Willen nicht mehr an der Existenz des Wolpertinger zweifeln. Halluzinationen lassen sich wohl nicht photographieren.

Mangels direkter Kontaktaufnahme stütze ich mich auf die Aussagen meines Assistenten. Die Wolpertinger sind allem Anschein nach eine Mischung von Ente und Nagetier, mit Pfoten, die an die einer Haubenziege erinnern. Wenn das Tier, das Hauro sah, sich wirklich an ihrem Stamm, und dafür sprachen alle Indizien, pflegen sie sich durch Eiablage zu sein, aber allen anderen Eigenschaften nach die Gruppe der Säugetiere zuzuordnen. Durch diesen Grund könnten sie das Klasse der Monotremata zugeteilt werden. Es sind Allesfresser. Sie sind sehr verspielt und lebhaft und vollbringen lange Sätze mit oberhalb des Zaunes, schlagen Purzelbaume im Sand und möglich niemals in der Bauchgegend, was sie aller alle Hasen ähnlich. So geben jedoch keinen Laut von sich. Trotz dem Mangel an zusätzlicher Information, könnte man die Tiere, der 17. Unterordnung der Sauce Zoologie zuordnen. Es wäre natürlich weiterhin, einmal ein Exemplar mit eigenen Augen beobachten und eventuell fangen zu können, um zu genaueren Schlussfolgerungen zu gelangen.

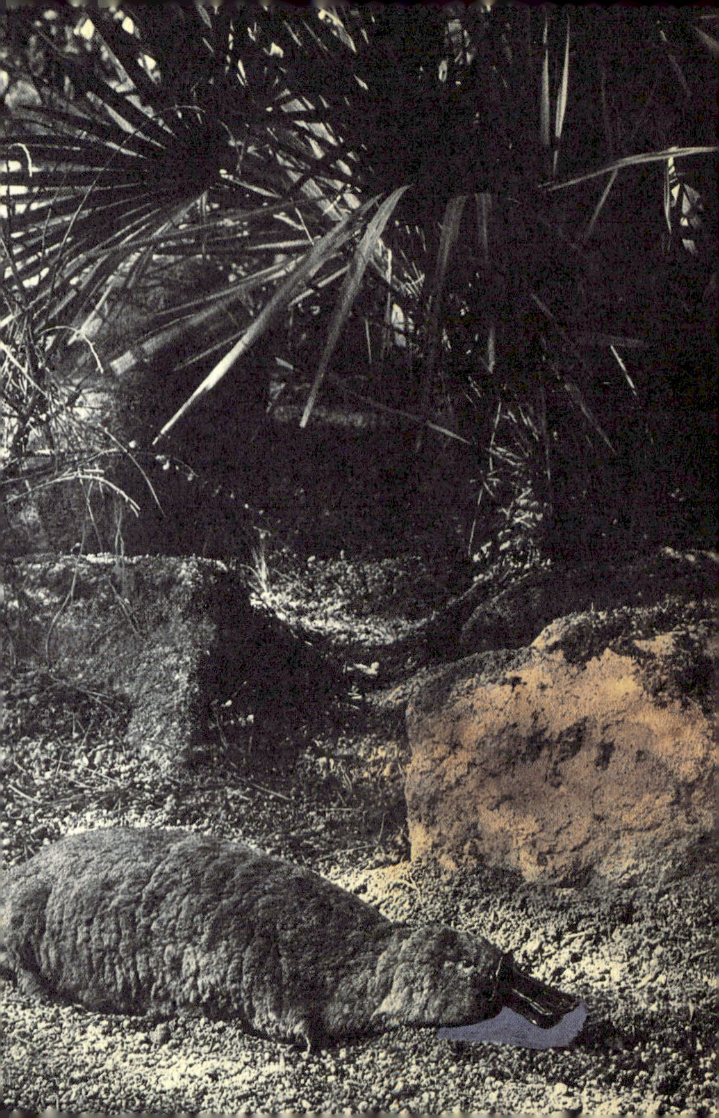

巣の近くで遊ぶつがい。

II

生息地――――――――私の助手ハンス・フォン・クーベルトによって、シュヴァルツヴァルト（ドイツ共和国）の森林で発見・撮影された。ハンスによれば、この動物はまるで盲目であるかと思われるほど少しも動じることなく彼の接近を許したので、まったくなんの困難もないまま2個体を観察することができたという。ところが、これもハンスの物語るところでは、この動物は「まるでとらえどころがなく」捕まえたと思ったら手の中で消えてしまうので、その捕獲は不可能だった。発見場所に案内してもらったものの、この奇妙な種の個体を実際に目にすることは、私にはできなかった。

観察年月日――――――――1931年9月17日。

観察――――――――当初、私はウォルペルティングレを「新動物学」に収録するのを躊躇していた。正直にいえば、この種の存在そのものを疑っていたのだ。すでにしばらく以前からこの私の協力者にとりついているアルコール問題、それはまさに彼ハンスをシュヴァルツヴァルトでの休養にむかわせたものでもあったのだが、私としてはこの哀れな友人がそのせいでいつになく激しい振顫譫妄(しんせんせんもう)におそわれて幻覚を見たのではないかと、まず考えずにはい

Wolpertinger Bacchabundus

人間の出現に驚き逃走。

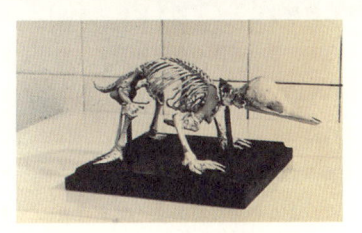

ウォルペルティンゲルの骨格復元図。

られなかった。しかし今朝になってハンスが撮影した数葉の写真を見せられ、ウォルベルティンゲルの実在を、もはやこれ以上疑えなくなった。幻覚では、写真にはうつらない。

　直接観察を行なったわけではないので、助手の説明にもとづいて述べる。見たところ、ウォルベルティンゲルとは野鴨と森に住む齧歯類との混合形態であり、モグラのそれを思わせる足をもっている。あらゆる条件から見てたしかにそうだと思われるとおり、ハンスがそれだと主張する巣が実際にこの動物のものだとすれば、この動物は卵生だ。ただしそれ以外のすべての特徴は哺乳類のそれに対応するため、綱としては単孔類に分類されるべきだということになる。雑食性。遊び好きで落ち着きがなく、砂地でとんぼ返りをしたり、また腹部がむずむずすると異常に興奮するらしく腹を猛烈に地面にこすりつけたりして、長い時間を巣の外ですごす。どんな種類の音声も、発するのを確認することはできなかった。これ以外のデータは乏しいが、「新動物学」の分類第17番に含めてさしつかえないだろう。とはいえもちろん、より適切な結論をくだすために、今後とも直接観察の機会を待ち、いずれは捕獲を期したい。

Improbitas Buccaperta

インプロビタス・ブッカペルタ

門
脊索動物
亜門
脊椎動物
綱
哺乳爬虫類

Improbitas Buccaperta　　　　Tal: 00762935 BNM-3

Hauptfamilien: Theodota　　Stamm: Vertebrata　　Klasse: Mammoreptilia

Entdeckungsort: In der Wüste von Sonora (Arizona, U.S.A.) entdeckt. Durch einen Zufall stieß Dr. Dixon vor der zoologischen Abteilung der Universität Arizona auf ein Exemplar ab es gerade die Scheinpositionen des *Phaisos oris Oris* (*Holothuria Simpositos*) beobachtete. Zum Entdeckungsziel angeregt, konnte sie selbst die Entwicklung eines Exemplar dieses schwierigen Art während eines Zeitraums von 38 Tagen beobachten. Der Fang verlief wegen der Aggressivität des Tieres eher ungefährlich, da sie aufgrund der dabei erlittenen Verletzungen an Haut und Ohren leider vorzeitig im Feldlabor verendete.

Datum des Fanges: 5. Mai 1982

Allgemeine Merkmale: Höckeriger Innenskelett, Polydifusa Ständung, Wärmesystem der Wirbeltiere, Fortpflanzung durch Eiablage, ganznächtliche Tätlichkeit. Bei der Blutuntersuchung wurde eine eindeutige Angentulle Thrombocitopenie festgestellt. Das gefangene Exemplar war ein ausgewachsenes Männchen, und wog 91 cm in der Länge und 23 cm in der Höhe.

Merkmale: Das Tier ist ausgezeichnet gut für das Leben unter der Erde ausgestattet. So lebt bei einem Einbruch der Dunkelheit unter der Erdoberfläche. Das Innere seines Schädels ist mit wärmespeichernden Drüsen versehen, die es ihm in Freien ermöglichen, die tiefen Nachttemperaturen des Ortes zu überstehen. Sein Kopf weist eine öffnung der Deckenauf, die das Schlagen des Maules verbindert. Es gibt zu i. Untergang v. W.L.

Gewohnheiten: Die Indianer der Wüste von Sonora, vom Volke der Shoshonen nennen *Improbitas Buccaperta* die Verkörperung des Bösen, die Antithese Monsters, denkbar machen es ihn vornehmlich für die Zerstörungen an den Rinde des Saguaros (Carnegiea Gigantea), einer riesigen Stückenkakturses, die für die Indianer den Phallus des gütigen Mutter symbolisiert, und somit auch Symbol für die Fruchtbarkeit der Erde ist. Dieser Glaube kommt daher, dass sich der Improbitas auf den Kaktus setzt, um einen seiner liebsten Beutetiere zu jagen, nämlich den tempeltagelogen Bannsvögellein, oder auch Gelbvogel genannt, der sich wiederum von dem Fleisch dieser Pflanze ernährt vor Allem. Diese Jagd ist wirklich erstaunlich, da der Improbitas völlig regungslos mit seinem geöffneten Maul auf den Kaktus sitzt, bis der Vogel kommt. In diesem Moment beginnt seine Zunge, einen zischlichen, unterschiedlichen Speichel abgesondert der eine Beute unwiderstehlich anzieht. Schlußendlich kann der Vogel der Versuchung nicht widerstehen und beginnt sich in das regungslose Maul des Tieres, um auf seine Zunge zu picken. Diesen Moment benutzt der Improbitas um den Vogel mit einem kurzen, blitzschnell Schlag seiner Zunge gegen den Gaumen zu erschlagen und ihn dann zu enden verschlingen. Seine Stimme kann man nur während der Nacht vernehmen, und auch dann nur bei Neumond. Sie erinnert verschwörungshaft an die Stimmung einer asthmatischen Angorakatze.

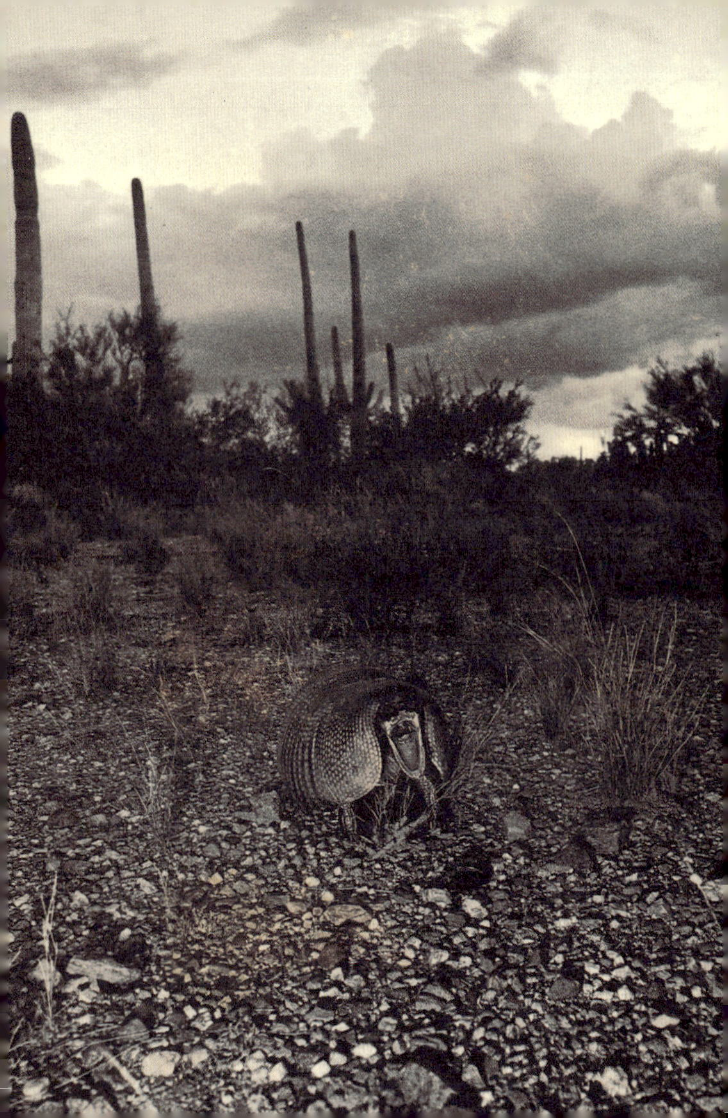

獲物を待つ。

II

生息地――――――――ソノラ砂漠（アメリカ合衆国アリゾナ州）にて、同砂漠特産の有毒爬虫類ヒラ・モンスター（ヘロデルマ・ススペクトゥム）の習性を観察していたアリゾナ大学動物学科のディクソン博士により、偶然に発見。私は現地におもむき、この奇妙な種の1個体の様子の移り変わりを18日間にわたって観察することができた。攻撃的な性格のため捕獲は困難をきわめ、のみならず捕獲された個体に傷を負わせてしまったため、このまだ若い個体はフィールドの研究キャンプにおいて出血多量で死亡した。

捕獲年月日――――――――1938年5月5日。

全般的特徴――――――――骨性の内骨格。多分散型呼吸。脊椎動物固有の神経系。有性生殖、卵生。血液分析において、明らかな先天性の血栓障害が観察される。捕獲された個体は雄の成体で、体長97センチ、体高23センチ。

形態――――――――地下生活に特別に適応した動物で、日中はずっと砂地にもぐったまま日没を待つ。その甲羅の内側には熱を吸収保持する腺が拡がっており、これによって砂漠の夜の空気の冷たさにもなんなく抵抗できる。頭部には表皮の顕著な硬化が見られ、このせいで口を閉ざすことができない。

Improbitas Buccaperta

インプロビタスの生息環境。

II

習性————————ショショニ族に属するソノラ砂漠のインディアンたちは、この動物を悪の化身と考えている。つまりマニトゥ(神格化された自然力)と対立するものだ。この砂漠特産のサワロ・サボテン(カルネギエア・ジガンテア)はインディアンたちにとっては大いなる精霊の木であり、したがって土地の豊饒の象徴でもあるが、このサボテンの表皮にときどき見られる爛れ・萎縮を、インディアンたちはインプロビタスのせいだと考えている。インプロビタスはこのサボテンの枝などにじっと待機して、好物の獲物であるカンフィロリンクス・ブルネイカビルム、つまりこのサボテンの果肉をもっぱら食べるサボテンミソサザイを、捕らえようとする。この狩猟は奇妙な形式をとって行なわれる。インプロビタスはサボテンの樹上などで口を開けたまま完全に静止しており、小鳥がやってくるのをひたすら待つのだ。小鳥が接近すると、インプロビタスの舌は甘く香り高い唾液を分泌しはじめ、これが獲物をひきつける。そしてついに誘惑に抗しきれなくなった小鳥は、この肉食獣の不動の口の中に入り舌をついばみはじめるのだが、このときを狙ってインプロビタスは舌による冷酷で強烈な一撃をくわえ、小鳥をそ

Improbitas Buccaperta

小鳥を捕えた瞬間。

II

の口蓋にたたきつけ、おもむろに嚥下にとりかかる。その鳴き声はただ新月の夜にのみ聞くことができるが、それは喘息にかかったアンゴラ種の猫の呼吸を思わせるものだ。

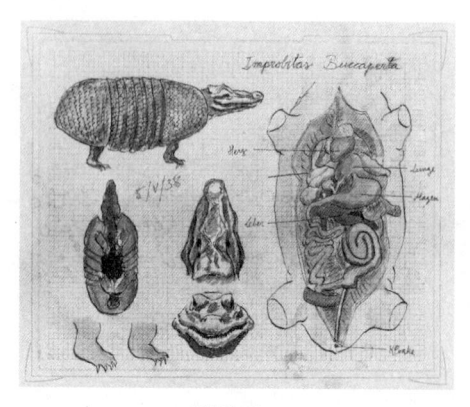

解剖デッサン。

Felis Pennatus

フェリス・ペンナトゥス

門
脊索動物
亜門
脊椎動物
綱
有翼哺乳類

フェリス・ペンナトゥスの骨格。

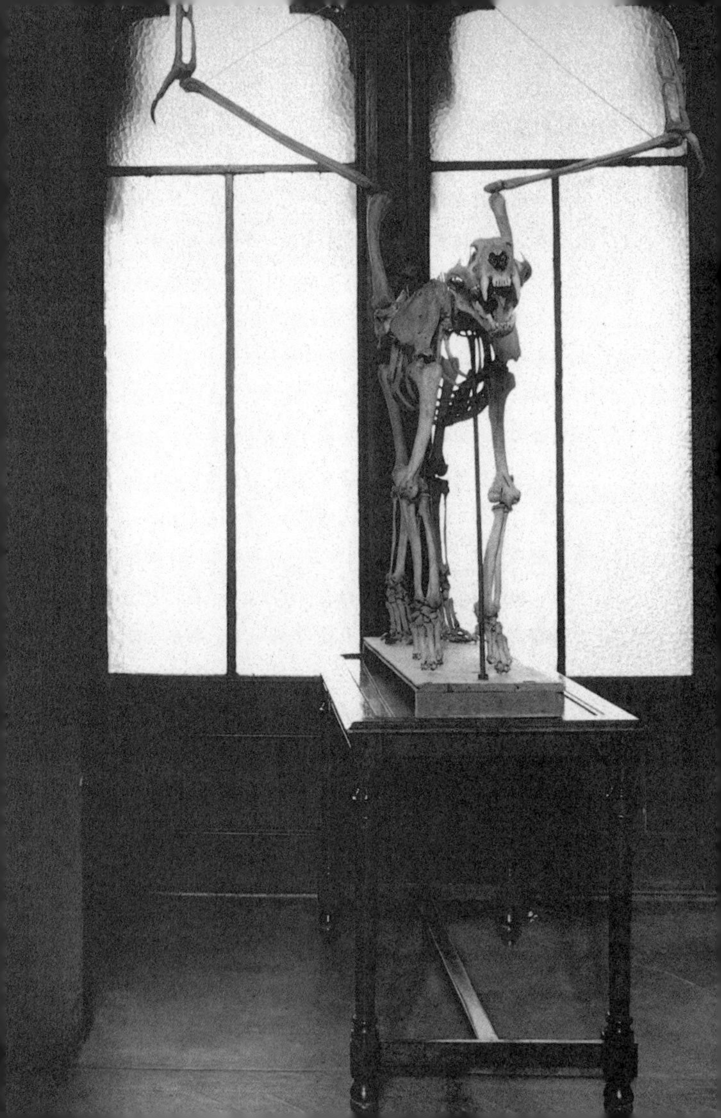

II

生息地————————————大アトラス山脈（モロッコ）のジュベル・トゥブカル山において、ほとんど接近不可能な岸壁の、高度2357メートル地点にある洞穴で、私の従弟ディーターがその白骨化した死体を発見。ディーターは発見した骨のすべてを注意深く拾い集め、1932年3月18日、私のもとにそれを持ち帰った。

観察————————————骨格の再現の結果、これは翼のある大型猫科動物の雌の成獣であることが判明。その外見は、高山地帯を飛行・滑空するのに適した、巨大な両翼をもつ大型雌ライオンとでもいった姿を呈することと思われる。おそらくその体毛は、同地帯の低い気温に耐えられるよう、長くまた油脂性に富んだものだったにちがいない。歯から判断して食性は肉食。

　研究者諸兄の意見を聞いてまわった後、私はこの動物をめぐる認識になんの進展も得られなかったことを思い知らされた。かれらのだれひとりとして、この謎にいくぶんかの光を投げかけるような手がかりを、ごくわずかにでも私にもたらしてはくれなかったのだ。ただひとりアブド・エル・カール教授が、フェリス・ペンナトゥスと、大スパルスティウスの

Felis Pennatus

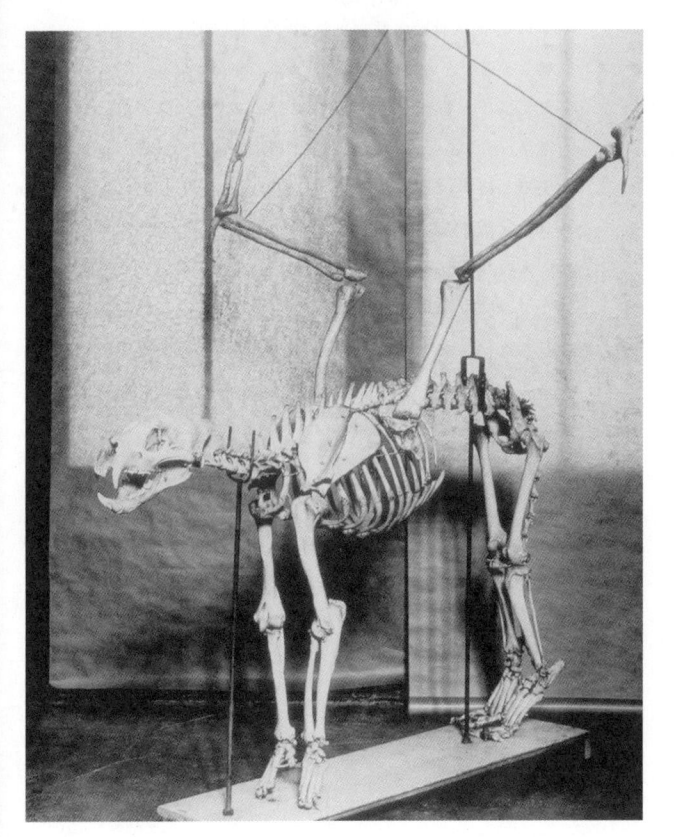

ルートヴィヒ・マクシミリアン大学博物館展示室内のフェリス・ペンナトゥスの骨格。

II

手になる13世紀の動物寓意譚に述べられたある動物とのあいだの類似について、私の注意を促してくれたにとどまる。とはいえ大スバルスティウスの記述は、あまりにも幻想めいていて真実味に欠ける。実際、彼のいう「アブドラー・サラー」なる獣には、発見された死体に対応するかとも思われる部分が、たしかにありはするのだが。情報提供者ノートを早急に閲覧させてもらえるよう、図ってみるつもりだ。さしあたって、新しいデータが得られるまでは、この動物を「新動物学」の分類法にしたがって分類することはやめておこう。

Lollicipes Gigantos

ホリキヘス・ギガンティス

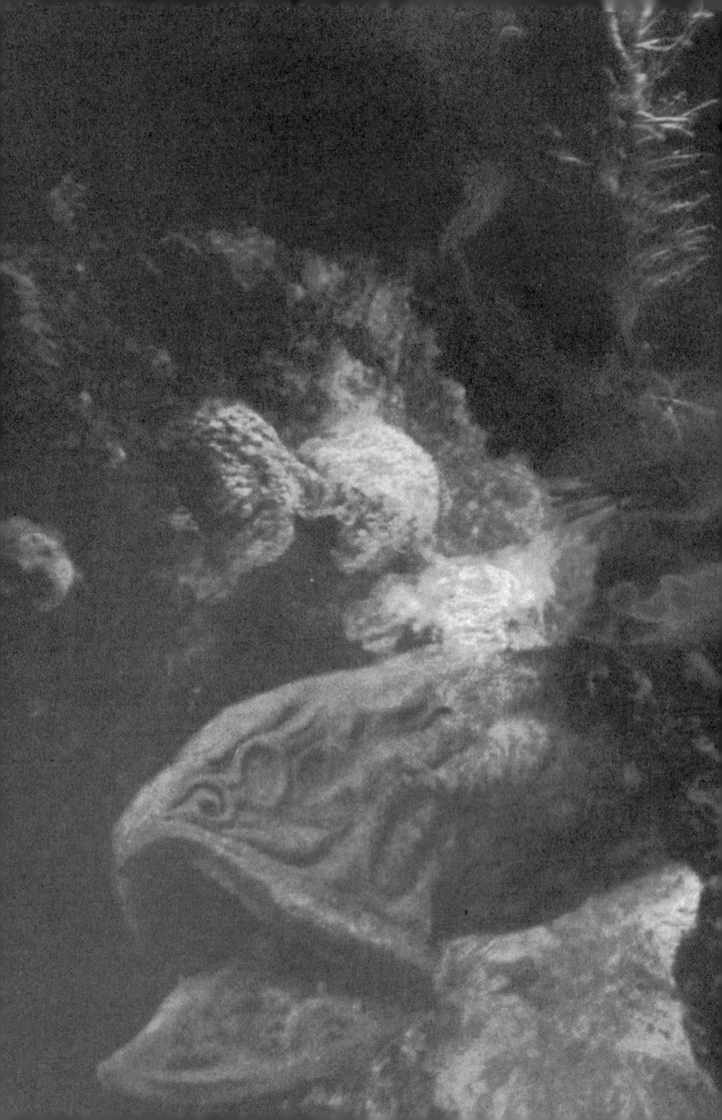

水中のポリキベス。

II

ポリキベスの幼生。

Pollicipes Gigantis

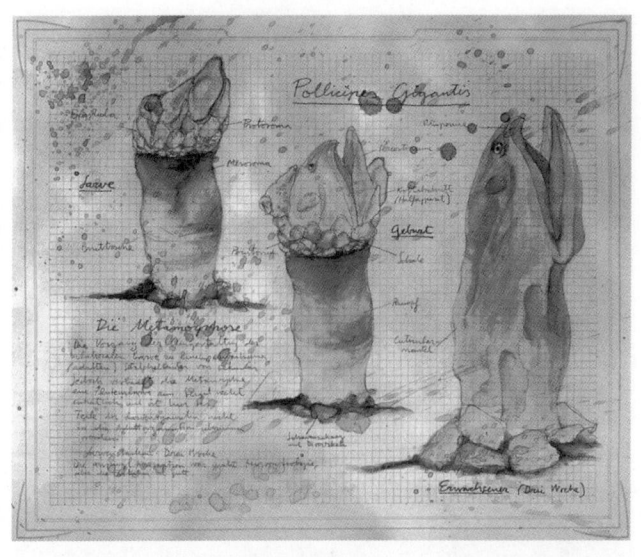

ポリキペスの変態。

ポリキペス二態。

ポリキペスの成虫。

Koch Basilosaurus

コック・バシロサウルス

門
脊索動物
亜門
脊椎動物
綱
爬虫類

Koch Basilosaurus

Hauptstamm: Chordata   Stamm: Vertebrata   Klasse: Reptilia

Entdeckungsort: Von Fischern auf der Insel Hokkaido entdeckt. Beim Einholen ihrer Netze in der Meerenge von Nemuro-Nekkyo, einer 15 Seemeilen vor der Insel Tatarq. In der allgemeinen Aufregung glaubte man, daß es sich um die leibhaftige Reinkarnation der "Wächter über alle Wasser" handele. Prof. Traford Mashi Doha von der Universität Osaka sandte mir eine Eilbotschaft, woraufhin ich sofort nach Hokkaido reiste. Das Meereswesen, das mein Freund Doha bis dahin verborgen gehalten hatte, war das Wunderbarste, was ich je gesehen hatte. Einige Tage später hatte ich die Gelegenheit, es zu studieren und sogar ein lebendiges Exemplar zu photographieren, das in ungewöhnlich geringer Tiefe schwamm. Schade, daß die Aufnahmen nicht sehr gelungen sind; sie war unter dieser gemacht werden mußten.

Beobachtungszeitraum: Vom 23. April bis zum 10. Mai 1930.
Beobachtungen: Die unglaubliche Ähnlichkeit dieses Tier mit dem gemeinen Basilosaurus der Eozän, ließ mich einen

Moment lang wirklich glauben, ein lebendiges Fossil entdeckt zu haben. Die morphologischen Unterschiede jedoch brachten mich eher zu der Überzeugung, eine Mutation oder einen Nachkommen dieses großen Meeressaurier vor mir zu haben. Die beobachteten Exemplare der Koch Basilosaurus entwickeln eine Länge von etwa achtzehn Metern. Er bewegt sich durch die Wellenbewegungen seines zylindrischen, biegsamen Körpers mit großer Geschwindigkeit fort. Sein Lockergewand ähnelt der der großen Landechsen, er hat jedoch 21 Wirbel mehr, pro diese. Die Nahrung ist eine Mischung aus Krumm- und Hartolmeerer. Er ist ein Allesfresser und außergewöhnlich aggressiv. Mit seinem Biß sprätzt er in seinem Opfer ein unbekanntes Gift ein, das dieses unter Krampenfällen binnen Bruchteilen von Sekunden tötet, aber relativ schmerzlos verläuft.

Wegen dieser außergewöhnlichen und schwer einzuordnenden Wunder der Natur muß ich, in meine Neue Zoologie eine weitere Unterordnung aufnehmen, sie wird die Nummer 21 bekommen.

Koch 1872-KT-370

巣穴に潜む。

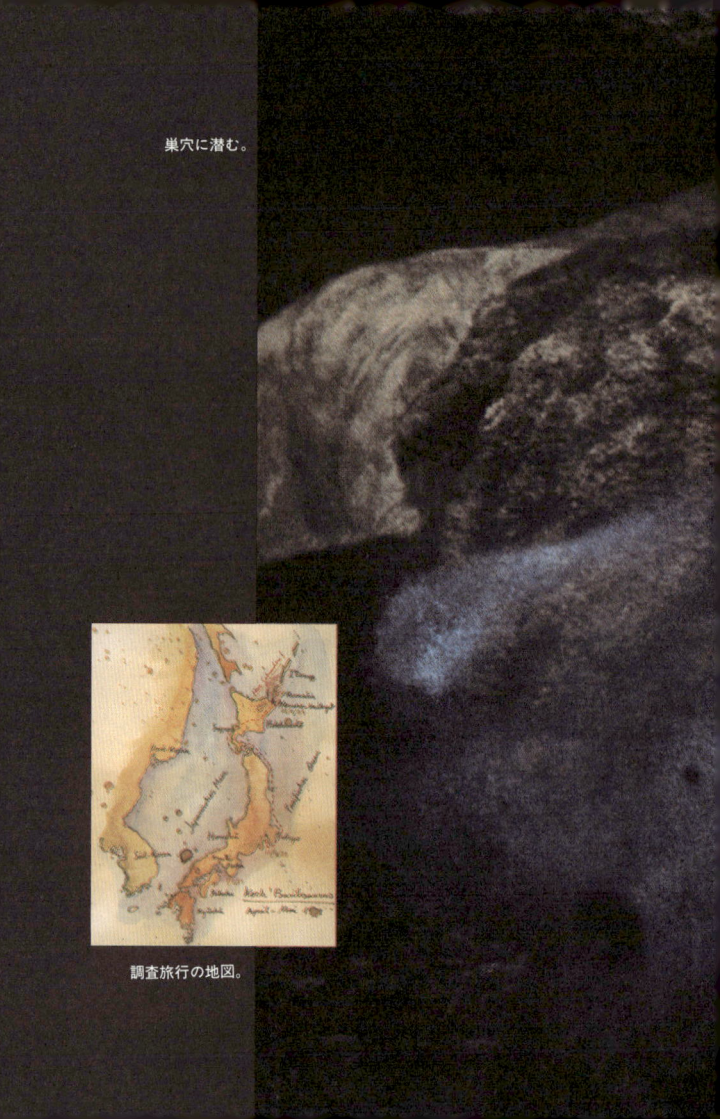

調査旅行の地図。

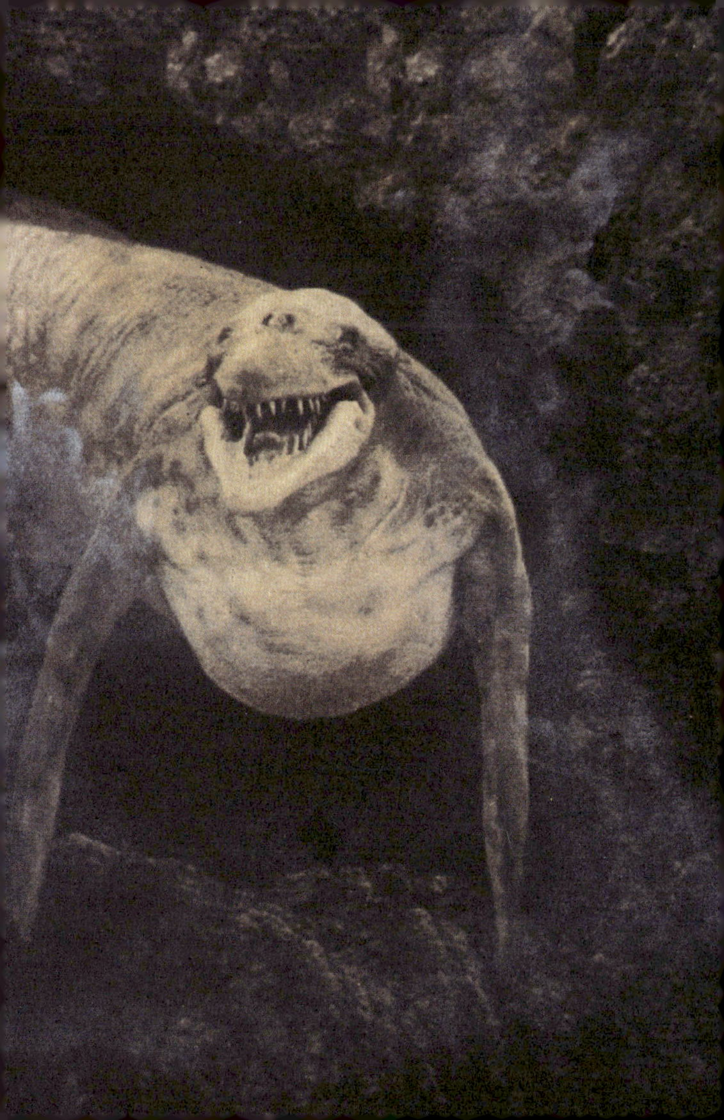

II

生息地————————根室海峡で網を打っていた北海道の漁師たちにより、国後島(クナシリ)沖15マイルの地点で発見。恐れをなした漁師たちは、これこそ祟りをなす「海神さま」の化身だと信じこむ。私は大阪大学の鹿鳴助(ろくめいすけ)教授から緊急の電話をもらい、ただちに北海道におもむいた。わが友人鹿氏がひそかに私のために保存しておいてくれたこの海洋生物は、私がこれまでに眼にしたもっともすばらしい動物たちのひとつだった。数日後、私たちは例外的に浅い深度で泳いでいるこの動物の生きた個体を、実地に観察し、写真撮影することができた。水中撮影の技術的困難のせいで、これらの写真がぼやけてしまっているのはまことに残念！

観察年月日————————1939年4月23日から5月19日。

全般的特徴————————この種は、約4000万年前の始新世に見られた普通のバシロサウルスときわめてよく似ているため、当初私は生きている化石を実際に発見したのだと信じた。ところが細心な分析を試みた結果、さまざまな形態学的差異からいって、これはむしろあの巨大なトカゲの進化形態——おそらくは突然変異種——だと考えざるをえなくなっ

Koch Basilosaurus

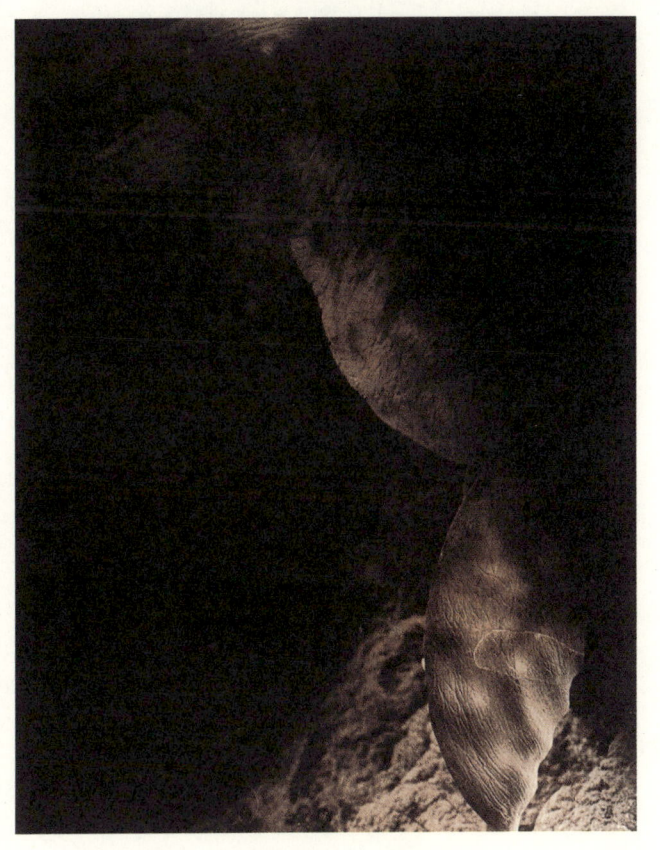

鰭のクロース・アップ。

II

た。観察されたコック・バシロサウルスの個体（複数）は長さ18メートルで、そのしなやかな円筒形の体をうねらせて、すばやく泳ぐ。地上に住む蛇類と似た骨格をもっているが、椎骨の数は蛇より37多い。混合型の呼吸（鰓呼吸＋皮膚呼吸）。雑食性できわめて攻撃的。前肢は鰭状に進化しており、アザラシのように肘の関節を曲げることができる。嚙みつくことで、その相手に奇怪な毒液を注入。この毒はきわめて激しい咳の発作と喀血をひきおこし、犠牲者を激烈な苦しみをともなった死にすみやかにいたらしめる。

　かくしてこの驚嘆すべき、分類不可能な怪生物のためには、「新動物学」に新たな分類項を設けることにした。これを第29番とする。

Koch Basilosaurus

バシロサウルス。

解剖後のバシロサウルスの子の顎の骨。

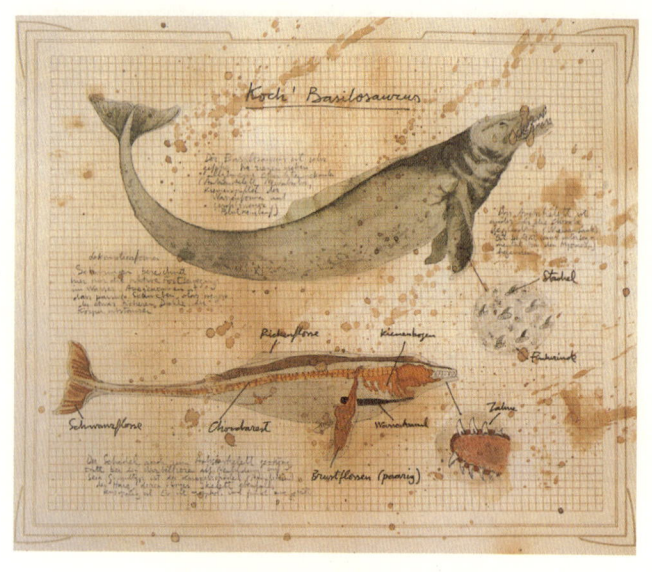

バシロサウルスのスケッチ。

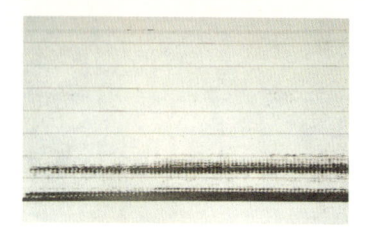

声のソノグラム。

Alopex Stultus

アロペクス・ストゥルトゥス

門
脊索動物
亜門
脊椎動物
綱
哺乳亀類

Alopex Stultus   Cat.-N. KH5230.35
Hauptstamm: Chordata   Stamm: Vertebrata   Klasse: Mammalitestudina

Entdeckungsort: An mehreren Stellen der sibirischen Taiga stark
hinweise der Herrn Dr. N. der Moskauer Universität entdeckt.
Ursprünglich ist diese seltene Spezies, die dem Rot der Welt unbekannt geblieben ist
den abgeschieden lebenden Menschen der Taiga aber geläufig. Sie schätzen das
Fleisch (es schmeckt schlecht) und jagen sie deshalb, wann immer sie
Gelegenheit dazu haben. Beobachtung und Fang stellten sich als extrem leicht
heraus. Der gefangengenommene Exemplar wurde nach fünfwöchiger
Laborbeobachtung der Wissenschaft geopfert.
Datum des Fanges: 12. September 1940.
Allgemeine Merkmale: Tannenschuld, Knochengerüst, Lungenatmung, Nervensystem
der Wirbeltiere, lebendgebärend und partgeschlechtlich. Das gefangene Exemplar
ist ein weibliches Jungtier, 163 cm lang und 63 cm hoch.
Morphologie: seltener Abkömmling einer Tuchsart, deren Kopf mit
einigen stark bleihaltigen Platten behelmt ist, als ob sie sich
vor irgendeiner Strahlung schützen müßte. Das Tier läßt sich
leicht mit einem Geigerzähler aufspüren. Es wurde bisher noch
nicht in eine Ordnung der Neuen Zoologie klassifiziert. Möglicherweise
muß es als Sonderfall angesehen werden und eine spezielle Unterordnung
erhalten.

Besonderheiten: Es ist ein völlig harmloser, gar nicht mutiger
Pflanzenfresser. Wenn er in die Nähe eines Feindes zurückt, stellt er
sich neben einen Strauch der Art Rosteliger Rotteculospigerus,
greift sich dort die Ruten und steckt sie über den Kopf hinein,
wobei sein restlicher Körper seitlich herausschaut. Er versucht auf diese
Weise eine Symbiose mit dem Strauch einzugehen. Achtet er ein Ergebnis
wenig befriedigend, so daß Raubtiere und Gewissen leichte Beute mit
ihm haben. Zu Leben in einer Kleingruppe, in der sich viele nicht Individuen
polygam verhalten und entwickeln eine große Sorgfalt in der Brutpflege.
Entgegen scheinen Raureifen hat er keinerlei Gleichgewichtsprobleme und
muß sich in spielerischen Wettrennen, bei denen er eine Geschwindigkeit
bis zu 65 km/Std. erreicht. Wenn es einen einen Totgeschwister, an
Altersschwäche zu sterben drohen die restlichen Mitglieder der Sippe
die ganze Junge Nacht, bis es am nächsten Morgen still zu schlafen
er entschlafen hat. Man kennt keinen charakteristischen Schrei
oder ein ihm spezifisches Geräusch.

129

注意深く接近するときに特徴的な体勢。

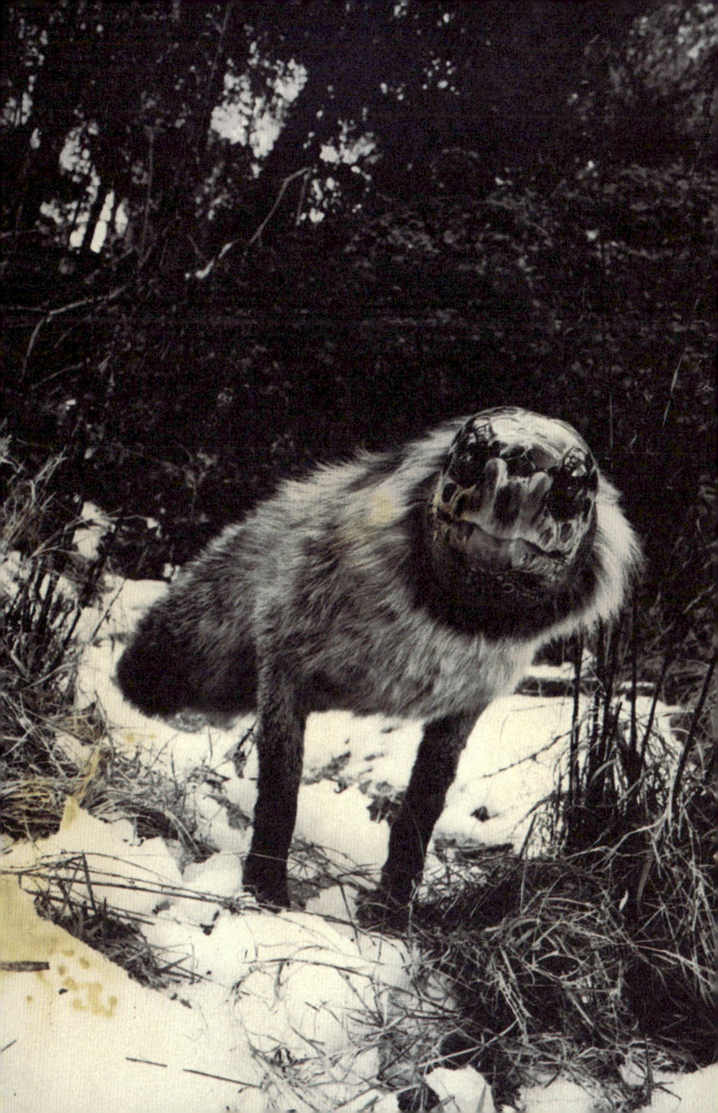

II

生息地——————————モスクワ大学のN博士の指摘にしたがって、シベリアのタイガ地帯の各地で発見。この奇妙な動物は世界の他の地域には見られないものの、どうやらよその土地との交渉の乏しいタイガの住民たちにとってはありふれたものらしく、かれらはその肉を好み（たいへん繊細な味わいがある）、少しでも機会があれば、これを捕らえずにいない。その観察と捕獲はきわめて容易だった。捕獲された個体の行動を5週間にわたって研究したのち、研究室で処分した。

捕獲年月日——————————1940年9月12日。

全般的特徴——————————骨性の内骨格。肺呼吸。脊椎動物固有の神経系。有性生殖、胎生。捕獲された個体は若い雌で、体長163センチ、体高61センチ。

形態——————————北極ギツネの特異な進化形態で、あたかもなんらかの種類の放射能から身を守る用意があるとでもいうかのように、頭部は鉛を多量に含んだ層をもつ甲におおわれている。けれどもそのため、ガイガー・カウンターを使えば、その居場所は容易につきとめられる。いまのところまだ、「新動物学」のいかなるグループにも分類されていない。おそらくこれはある特例、独立した類で

Alopex Stultus

食物を探す。

II

あると見なすべきなのかもしれない。

習性——————————これは草食性の、まったく無害でたいへん臆病な動物だ。なんらかの敵の接近を感知すると、アントロレプシス・レティクロスピノススという種の灌木の近くにゆき、地面に穴を掘ってそこに頭をつっこみ体を垂直に立てて、なんとかその灌木の姿を真似ようと懸命になる。ところが残念ながらその効果はあまり満足のゆくものではなく、人間をはじめとする捕食者は、むしろこのときを狙ってかれらを捕える。7、8頭のグループを作って暮らし、多婚性で、子供たちには大きな愛情を注ぐ。その外見にもかかわらず体のバランスにはまったく問題がなく、遊び半分に競争をすることがあるが、そのときには時速25キロ近くに達するスピードを出す。仲間が老衰で死んだときには、グループの他のメンバーたちは徹夜で死骸を見守り、翌日になるとその場に死骸を置き去りにする。特徴的な鳴き声や発音は、なにも知られていない。

Alopex Stultus

カムフラージュの体勢。

II

灌木に混ざって。

Squatina Squatina

スカティナ・スカティナ

スカティナ・スカティナの成獣を手にした教授。

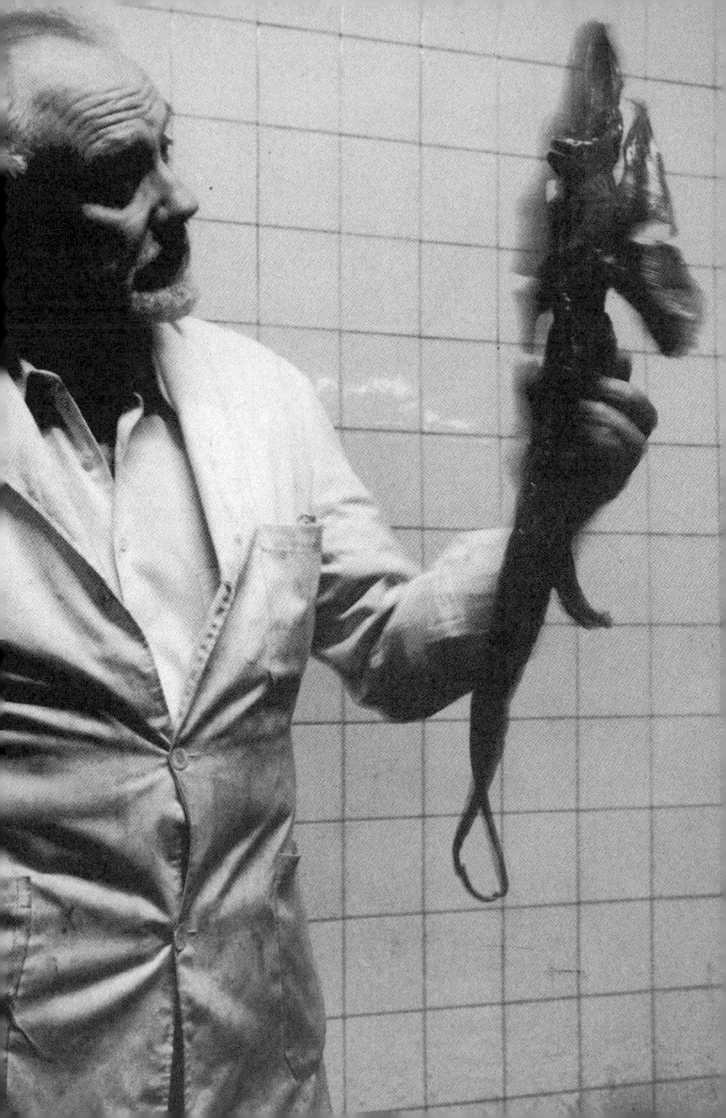

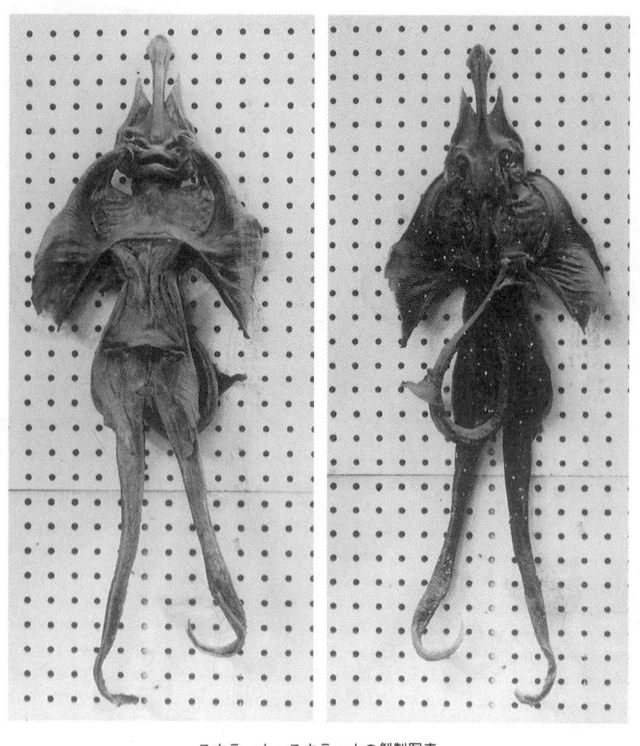

スカティナ・スカティナの剝製写真。

Pseudomurex Spuoletalis

プセウドムレックス・スプオレタリス

門
軟体動物

綱
腹足類

Pseudomurex Spuoletalis Cat: 10666 MNf26
Hauptstamm: Mollusca   Klasse: Gasteropoda

Entdeckungszeit: Ganz zufällig an zwei Stellen der madegassischen Küste entdeckt. Die Beobachtungszeit betrug eine Woche, während der keinerlei Schwierigkeiten auftraten. Bei zwei Gelegenheiten wurde versucht, das Tier zu fangen und beide Male gelang es Suizid nach der Methode, aus der Schale zu kriechen und den äußerst lichtempfindlichen Körper dem Tageslicht auszusetzen.
Beobachtungszeitraum: 3. bis 10. November 1943.
Allgemeine Merkmale: Das schnelle Verbrennen des Körpers beim Einwirken von Tageslicht hat ein eingehenderes Studium des Tieres verhindert. Es kann aber behauptet werden, daß es einen normalen Hornhepreditivmen besitzt, Lungenatmung, offenen Blutkreislauf und ein den Weichtieren eigenes Nervensystem. Die beobachteten Exemplare maßen zwischen 10 und 15 cm.
Morphologie: Sein ausgeprägter Tentakelfuß mit Tentakelaugen mit rudigem Rundöffnung erinnert an die von Reisha Wohl beschriebenen submarinen Spezies; es handelt sich hierbei jedoch um eine landlebende Art. Ich muss hier mit unserem nächsten Treffen konsultieren. Im jedem Fall gehört sie der 3. Unterordnung der Neuen Zoologie an.

Gewohnheiten: Der Pseudomurex Spuoletalis verfolgt Ameisen, die er zwischen den Felsen findet und ist besonders gefräßig. Um sich vor den Bissen der Ameisen und anderen Insekten zu schützen, sekretiert er eine Art hochelastische, proteinhaltige Spuckeflüssigkeit, die er mit großer Zielgenauigkeit auf die Beute spuckt. Die Flüssigkeit löst diese in wenigen Sekunden auf und der Pseudomurex kann sie auf dem Wege der Heuladsorption mittels seines Tentakelfußes wieder aufnehmen. Er bewegt sich langsam und seitwärts und hinterlässt eine klebrige Spur aus einem Sekret, das die Abwanderung von sekretierten Substanzen erleichtert und anderen Tieren das Tier leicht aufspürbaren ist. Die Anwesenheit schwach benützt es, um Blitzschnelleren zu erzeugen, die für den Menschen nicht wahrnehmbar sind, aber Beutetiere anlocken. Es legt jeden zweiten Tag Eier und vergräbt sie am Strand in Wassernähe, um sie frisch zu erhalten und vor dem madegassischen Riesenkrebs, wahrscheinlich sein schlimmster Feind, zu schützen.

環境に対する優れた疑似能力を見せながら、岩にトンネルを掘る。

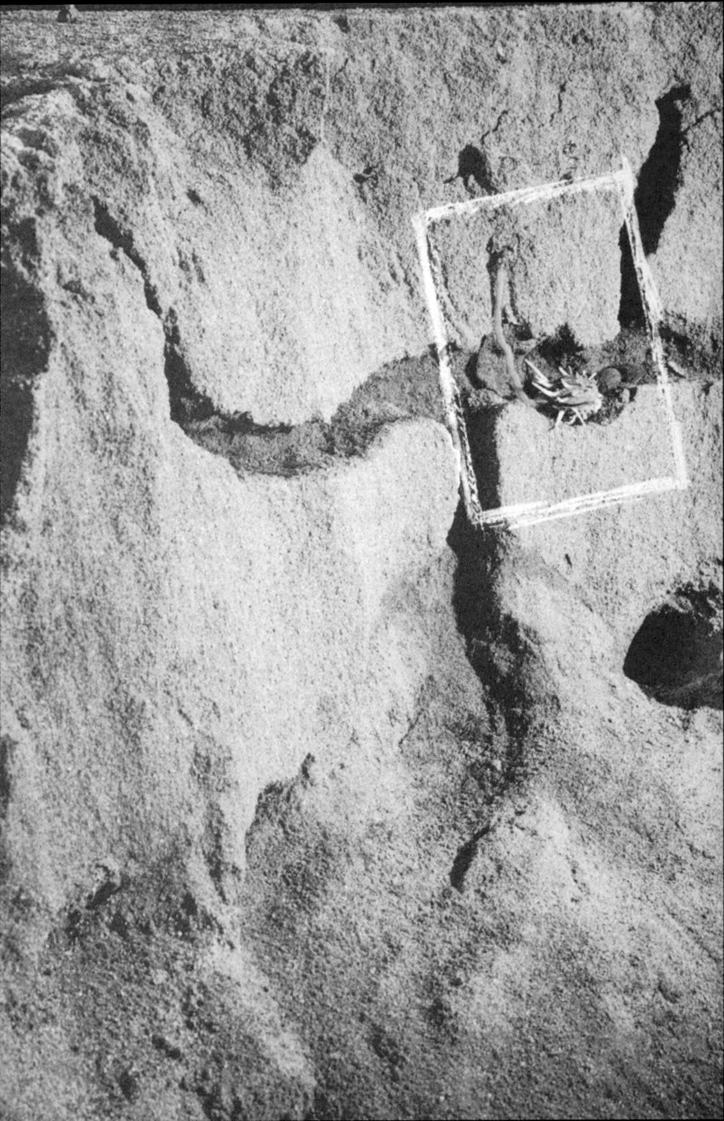

II

生息地――――――――マダガスカル沿岸の2か所で、まったく普通に見られる。観察は1週間におよび、この間なんの困難もなく観察を続けることができた。それを捕獲しようとすると2度とも、殻をすっかり脱ぎ捨て、太陽光線に特に敏感な体の一部を露出させて、自殺を遂げた。

観察年月日――――――1943年11月3日から10日。

全般的特徴――――――太陽の直射光線にさらされると、この動物の体は速やかに燃焼するため、ゆきとどいた研究を行なうことはできなかった。それでもともかく、それが通常両性具有、肺呼吸であり、開放型循環系、軟体動物固有の神経系を有することは、確認できた。観察された個体の大きさは10センチから15センチのあいだ。

形態――――――――――この動物の、末端に口のある足＝触手は、アリシャ・ネールが私に語って聞かせたある種の水中生物のことを思いださせる。しかしこれは陸上生活を行なう種だ。次に彼に会ったとき、この点について相談しなくてはならない。いずれにせよ、われわれの「新動物学」の分類第3番に属する。

習性――――――――――プセウドムレックス・スプ

Pseudomurex Spuoletalis

蛋白質性の粘液を吐き出す。

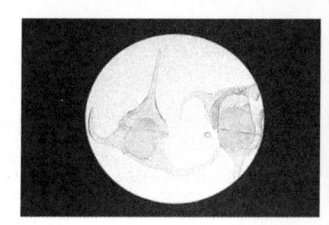

粘液中の同定することのできなかった二成分の、顕微鏡写真。

II

オレタリスは岩に住む蟻を餌とし、猛烈な大食漢だ。蟻その他の昆虫たちから刺されるのを避けるために、きわめて毒性の強い蛋白質性粘液を分泌し、それを獲物にむかって正確な狙いをつけて吐き出す。この粘液はものの数秒のうちに昆虫を完全に溶かしてしまい、ついでこの溶液がプセウドムレックスの足＝触手の皮膚呼吸管から回収されるのだ。水平方向にゆっくりと移動するときには見紛うことのない輝く赤色の痕跡を残してゆくので、たやすく後を追うことができるが、この痕跡は分泌された消化液によるものであり、また排泄物の排出を容易にしてもいる。貝殻から生える刺を使って、人間には聞こえないが餌となる獲物をおびきよせる効果のある、超音波の振動をひきおこす。1日おきに産卵し、卵は水辺に近い砂地に埋める。これは卵のために湿気のある環境を保つためであり、またこの種にとっての最大の天敵であるらしいマダガスカル大蟹の接近を防ぐためでもある。

Tetrastes Plutonica
トレトラステス・フルトニカ

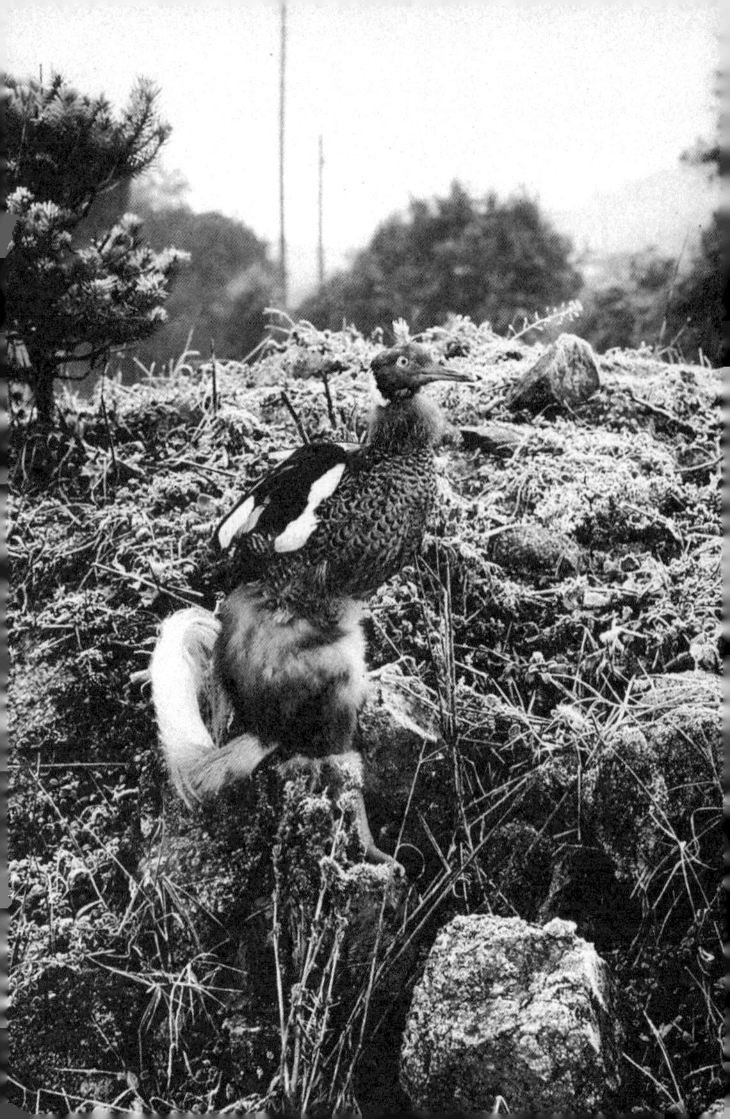

匂いで辺りをうかがう。

II

トレトラステスが周囲の自然環境に身を隠す能力は、注目に値する。

Tretrastes Plutonica

人間の出現に驚いて、大急ぎで逃げるトレトラステス。

II

フィールドでのデッサン。

Elephas Fulgens

エレファス・フルゲンス

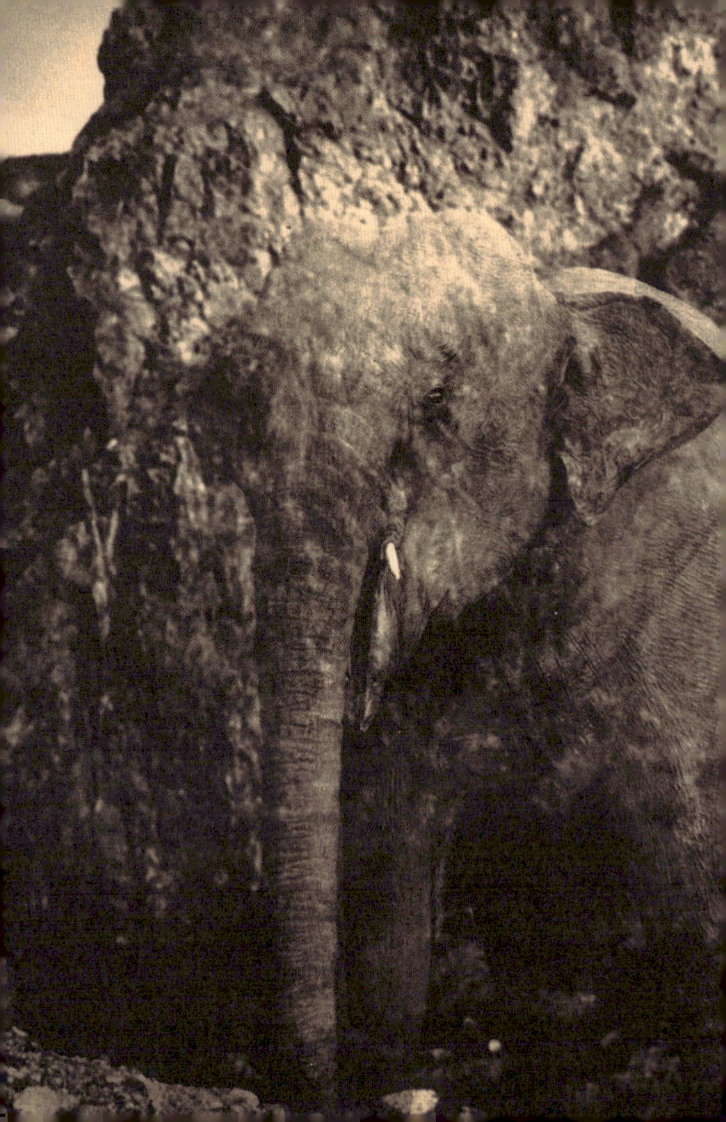

休息しているところ。

II

光を発している。

光放射の完了段階。

Centaurus Neandertalensis

ケンタウルス・ネアンデルタレンシス

門
脊索動物
亜門
脊椎動物
綱
ホモ・ハビリス・サピエンス（？）

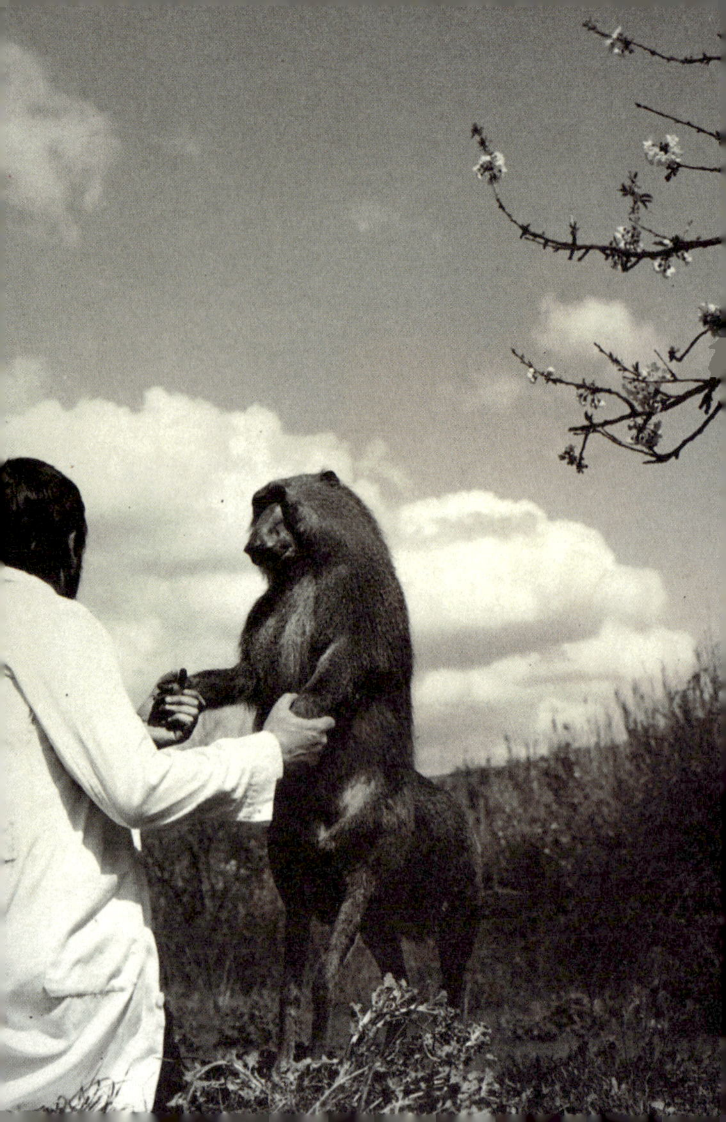

アアル・ルとのコミュニケーションにいそしむケンタウルス。

II

生息地────────私が提出していたいくつかの理論的問題についての確証を得る目的で、わが友人、アアル・ルの案内によって訪れた、ムバララ地区（アフリカのイギリス領ウガンダ）において発見。アアル・ル、ハンスと私は、1週間にわたってケンタウルス・ネアンデルタレンシスの一夫婦の歓待を享受した。検査・撮影された個体は、寛大にもその身体を科学のために提供してくれた。

観察────────この種を「新動物学」中に分類するのはむずかしいということがわかった。事実、私はいまなおケンタウルス・ネアンデルタレンシスを半人半獣、生きた神話（?）、あるいは単なる動物学上の一例の、いずれと考えればよいのか、確信がもてずにいる。もしその外見がこれほどまでにギリシャ神話にいうケンタウロス［半人半馬の怪物──訳者］に似かよっていなければ、これを単なる突然変異だと考えることもできただろう。ところが、私が一昨日解剖した個体は、成体で脳の容積は1105立方センチあり、その結果なんとも驚くべきことに、信じられないほどの学習能力とコミュニケーション能力をもっていた。その身体の前方上部だけを独立したものと見なすことが許されるなら、い

Centaurus Neandertalensis

火を起こすために薪を採集している。

II

まごろ私はかの有名な「ミッシング・リンク」の奇想天外な発見物語を、せっせと書いていたことだろう。この動物の声が（困難をともなってのこととはいえ）私の名前を発音している録音を聞くたびに、私は深い動揺の感情に捉えられずにはいられないのだ。

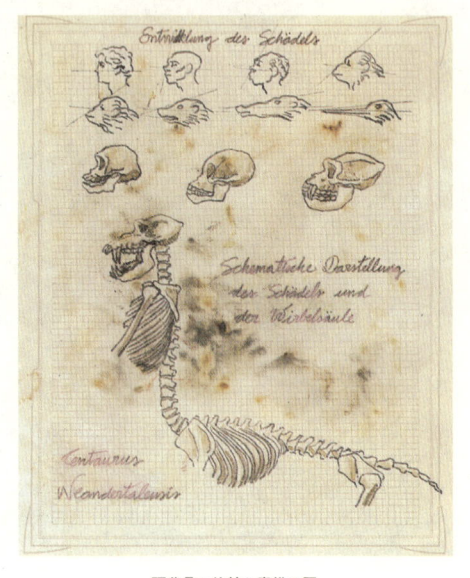

頭蓋骨の比較と脊椎の図。

Centaurus   Neandertalensis

教授とケンタウルスの友好的交渉。

II

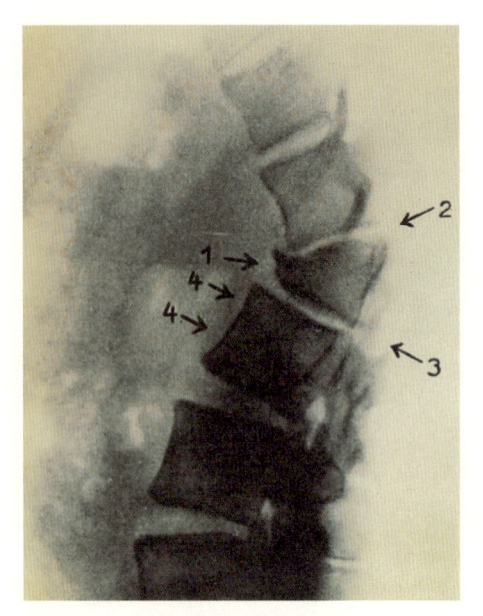

ケンタウルスの背骨のX線写真。

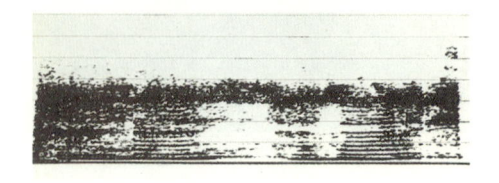

この動物の歌のソノグラム。

Centaurus Neandertalensis

アアル・ルにあまえるケンタウルス。

II

ケンタウルスの手を調べる教授。

友好のポーズ。

Piluserpens Edax

ピルセルペンス・エダックス

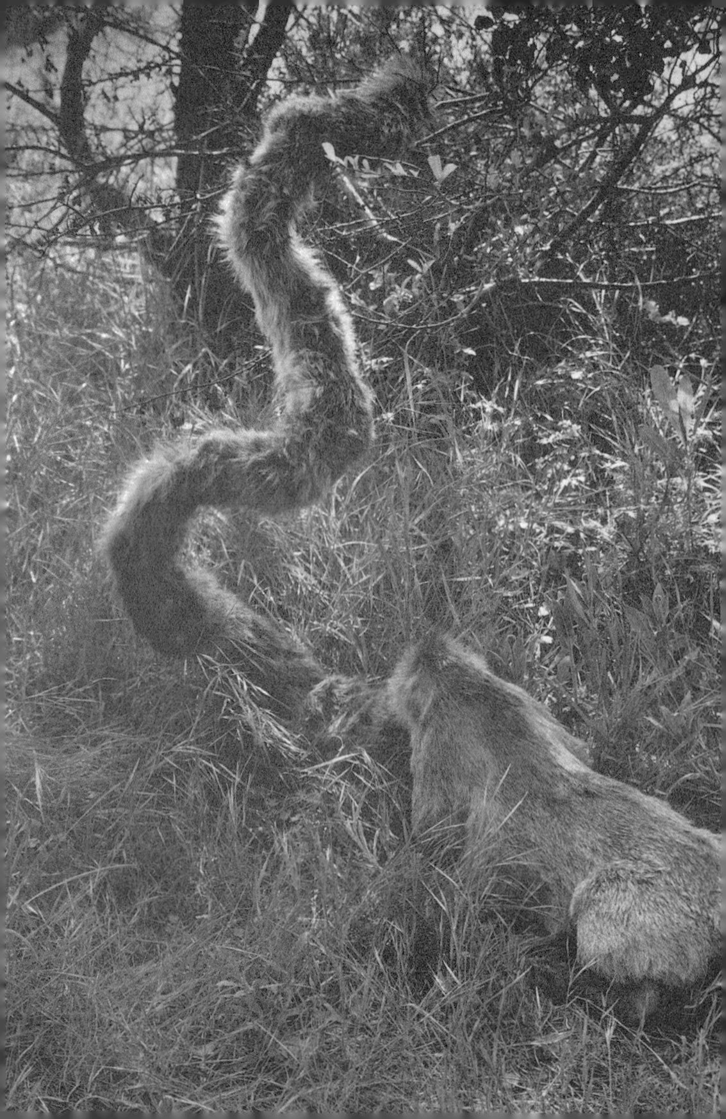

食料

II

縄張りの木に首をこすりつけているところ。

Pennalinx Inferus

ペンナリンクス・インフェルス

攻撃的な態度で巣を守る。

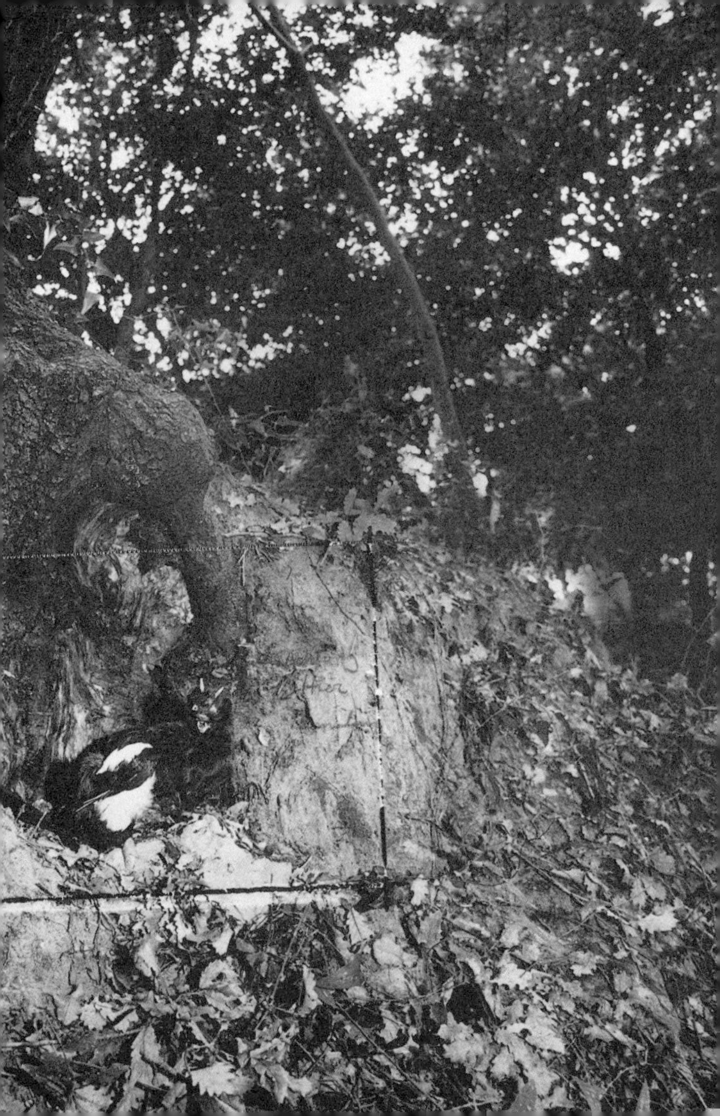

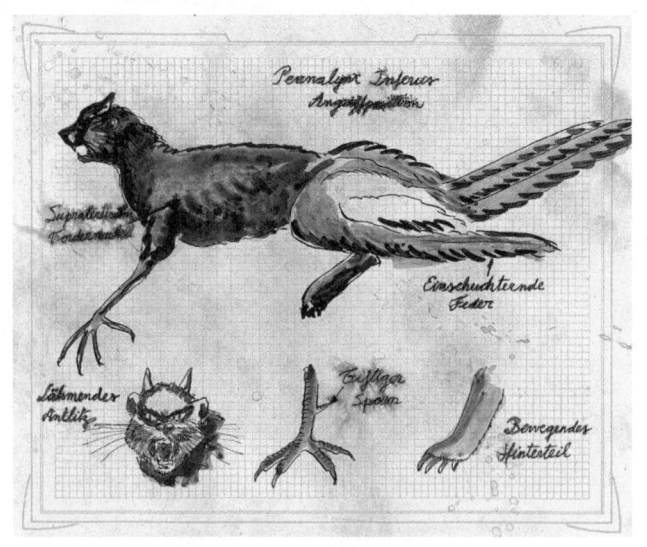

フィールドでのデッサン。

雄のペンナリンクス。

174

Hermaprotaurus Autositarius

ヘルマフロタウルス・アウトシタリウス

門
脊索動物
亜門
脊椎動物
綱
哺乳類

Hermaprotaurus Autositarius at. 5674/88754-16
Hauptstamm: Chordata   Stamm: Vertebrata   Klasse: Mammalia

Vorkommen

Entdeckungsort: In den ereignisreichen ~~Gebieten~~ (Spanien) gefunden. Wir konnten 12 Tage lang zwei Exemplare beobachten. Einen davon hat man öfters. Das Junge genießen, und gemeinsam mit Dr. Schwärzjöberg zu zoog, waren die Säuglinge zu fangen. Dieser Säugling überlebte in dabei 1 Monat und 5 Tage. Noch an Familien, die sich von der Jungen bekommen hatte, hatten sich die anderen Säuglinge problemlos untersucht, wofür ersichtlich der alte Säugling nicht zu bestreitet ist.

Datum des Fanges: 15. August 3328

Allgemeine Merkmale: Gewöhnliche Immobilität. Doppelte Lungenatmung. Nervosytem der Wirbeltiere mit einigen ~~doppelten~~ Elementen. Die Wirbelsäule ist ~~merkwürdig~~, aber sie Spielt Teile mit der Funktion eines einzigen. Es ist überlegtsind und ein deutlicher Schädler. Das ~~gefangene~~ Exemplar ist 121 Schwanz zu Schwanz 48 cm lang, und es ist 40 cm große ~~Zum~~ Jahresdurchschnitt schlägt ungefähr 520 Jahre.

Morphologie: Es handelt sich um einen Säutter, der den Rinderen ~~autstammt~~. Sein Verhalten, ist mit allen seine Einrichtung (so ist Herzsphäre) zufrieden ihm jedoch ersichtlich von dieser zoologischen Gruppe H.P.L. schmale bei seinem letzten ~~Besuch~~ gegen Ähnlichkeit im die Form ist mit der Arfauna. In Falle, dass dieses stimmt, müsste man ihn an die Unterordnung 1 der heutigen Neuen Zoologie einschließen. Jedoch scheint H.P.L. zu zögern und ist in letzter Zeit sehr wenig zu ~~sein~~ ~~vorwärtsgerückt~~ worden.

Verhalten: Etwas ~~mysöglich~~ aber friedliches Tier; es lebt im ~~Gebüge~~ und mit ~~Vorliebe~~ in fließen ~~Rechten~~. Seine Nahrung besteht aus Reptilien und kleinen ~~sollen~~ Nagetieren. Sein ~~pseudofretale~~ Hermaphrodismus führt zu zu einer absoluten Monogamie und zu einem mich häufigen Geschlechtsverkehr mit ~~sich~~ selbst. Aufgrund der Funktionsteilung beiden Fortgangrichtungen der Wirbelsäule können den Hermaphrodit-Autositarius als ganz differenzierte Seiten angesehen werden, die in einem einzigen Kopf zusammenkommen. Eine Seite, die des ~~Weibchen~~, ist zuerst lesenden Antrieb auf emotionale Reize (die Liebe für den Jungen) und auch auf gastronomische Reize. Der andere Seite ist die ~~des~~ ~~Männchen~~. So reagiert besonders sinnlich auf ~~sensa~~ Reize (die weibliche Seite ist personant hörig) und auf Schlafreize (des Männchen schläft fast immer, während das Weibchen haben absolute Schlaflosigkeit leidet). Beide Seiten haben sich das ~~tief~~. Seine ~~Kohabitation~~ der Sanktgeschlechter erfolgt durch einen kraftvollen Sprung und einen ~~starken~~ Stoß, wie die Penetration ausgelöst. Die einzige Seele, die man bis dem bewarnen hat, bringt das Weibchen ~~herum~~, deren einzige Funktion ist, ein ~~bestimmte~~ aufzunehmen und zum Geschlechtsakt überzugehen. Es handelt sich um ein ~~schweig~~ gefalteltes Perineum, das mit der Lippen und den Zunge reagiert und ein ~~kleinig~~ musikalise zu „Hisshh-his!"-Laut gibt plötzlich und wird manchmal wiederholt. Strikt im Individualismus, ist wird sie von den anderen unter gegen angeheizten Falten mit Hilfe ihrer kräftigen Hinterpfoten beendigt. Es gibt keine zu ~~neuerste~~ gefunden worden, die mehr als 500.000 Jahre alt sind.

175

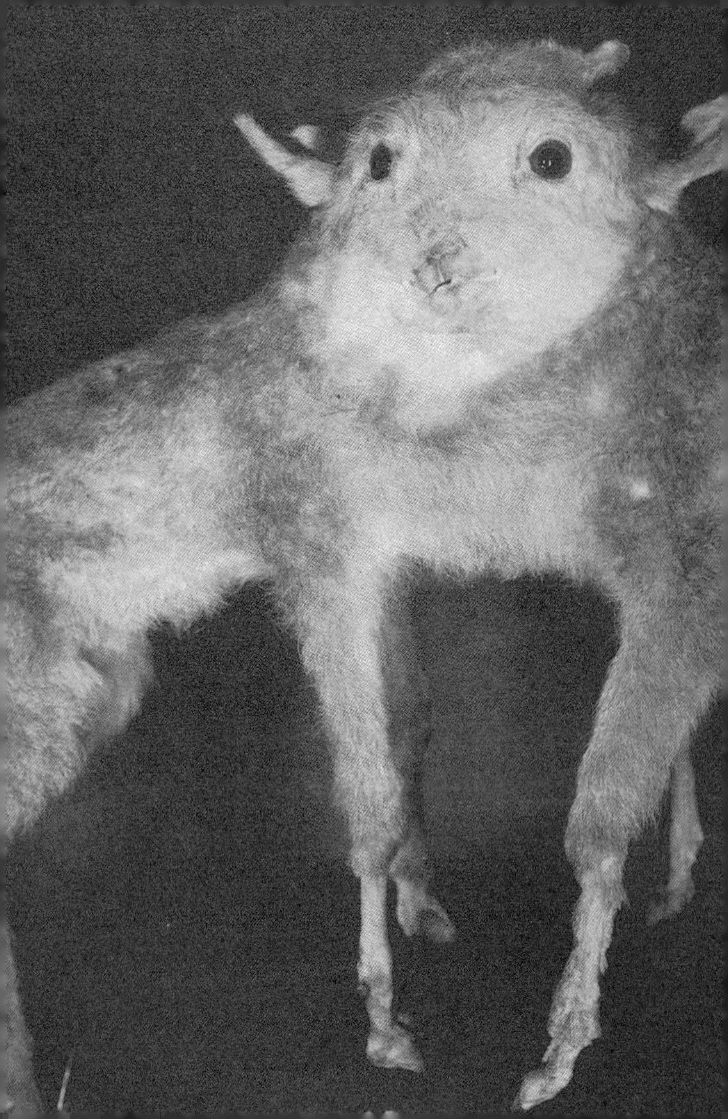

ヘルマフロタウルス(前方から見たところ)。

II

生息地——————————スペイン、アラゴン地方のピレネー山脈にて発見。12日間にわたり、2個体を観察することができた。うち1頭が第11日めに子供を出産、私はヒメネス博士の助けを借りて子供のうちの1匹を捕獲。この子供は研究室にて1か月と3日間生存した。ヒメネス博士からその後うけとった情報によると、他の子供たちは順調に発育を続けており、さしあたって種の維持に関して心配することはない。

捕獲年月日——————1938年8月15日。

全般的特徴——————二重肺呼吸。脊椎動物固有の神経系、部分的に二重化されている。脊椎は二股になっているが、分岐したそれぞれが独立した1個の脊椎としての機能を有する。胎生で、完全な両性具有。捕獲された個体は尾から尾まで47センチ、体高40センチ。平均寿命は320年。

形態——————————ウシ科の動物から派生した両性具有型。とはいうもののその行動形態、とりわけ食性 (肉食) の面から見て、ウシ科という動物学上のグループからは相当かけ離れたものとなっている。その最後の調査に際して H. P. L. は、この動物が原始動物相とのあいだにもっている密接な形態

Hermafrotaurus Autositarius

上の関係を発見したという確信を得ている。それならば、われわれの「新動物学」の分類第1番に含められるべきだろう。ところがH. P. L. はそれを疑っているらしく、このところ大変神経質になっている。ひきつづき調査・研究が必要。

習性――――――――あまり社交的ではないとはいえ平和を好む動物で、山裾の、それも岩場になっている地帯に好んで住む。爬虫類ならびに森林性の小さな齧歯類を食べる。その偽疑似性両性具有[プセウドフアルソ][雌雄の身体そのものがほぼ分離独立しているためこう呼んでいるものと思われる――訳者]のため絶対的単婚であり、自分自身とのあいだにきわめてしばしば性関係をもつ。脊髄のふたつの枝に機能が分配されていることを思えば、ヘルマフロタウルスは分化したふたつの部分が単一の頭部へと収束するものと考えることができる。このふたつの部分の一方は雌で、情動的刺激（恋愛ならびに生まれたての子供たち）や食餌的刺激にたいへん敏感。他の一方は雄で、性的刺激（雌部分はつねに発情期にある）や夢（雄部分は、完全な不眠に耐えている雌部分とは反対に、ほとんどずっと眠っている）にきわめて敏感だ。ふたつの部分は五感を完全に共有している。この動物が発した音声で耳にすることができた

II

唯一のものは雌部分が発する音で、これは雄部分を目覚めさせ性交へととりかからせる役割をはたす。それは両唇と舌を使って出される雑音で、すばやく繰り返し発せられる「ブシィー・ヘイ！」という音のように聞こえる。交尾そのものは、いきおいよく飛び跳ね、腰を激しくうちつけあうことによって達成される。

Pirofagus Catalanae

ピロファグス・カタラナエ

門
脊索動物
亜門
脊椎動物
綱
爬虫類

Pirofagus Catalanae Cat.: 382247892

Hauptstamm: Chordata   Stamm: Vertebrata   Klasse: Reptilia

Entdeckungsort: Entdeckt auf der Insel Sizilien (Italien) **während** während einer Kreuzfahrt. Rückfahrt nach der Teilnahme an einem kongressartigen Treffen des Herrn Dr. Buinelli. Der ältere Wissenschaftler hatte mir von einer Legende berichtet, die sich die sizilianischen Bauern erzählen, nämlich von einem feuerspeienden Drachen, den die katalanischen Eroberer im 16. Jh. zurückgelassen hatten, noch immer in der Nähe des Ätna leben soll. Nach intensiver Forschungsarbeit ist bewiesen, dass es sich nicht um einen Mythos handelte. Es existiert tatsächlich. Im Laufe von zwei Wochen konnte ich drei Exemplare **Exemplare** beobachten. Leider erwies es sich als unmöglich, eines davon zu fangen.

Beobachtungsdatum: 6. bis 20. Juni 1990

Allgemeine Merkmale: Obschon es keinerlei Gelegenheit gab, ein Exemplar im Labor **zu studieren**, und der anhand der morphologischen Kennzeichen über ein Inneres machen können, ist zu vermuten, dass der *Pirofagus Catalanae* zu der Familie der grossen Saurier gehört und mit dem Dinosaurier der Insel Komodo nahe verwandt ist. Zwei differenzierte Merkmale sprechen jedenfalls für ein einzigartiges Exemplar: eine grosse, starke Rückenflosse und das seltsame Prinzip **Prinzip** der ... die, absorbierten des Ergebnis der Bildung von Verdauungsorganen, die sich in der Luft selbst entzünden zwischen des Herrn daraus bekannten Teren gibt es starke Teilnahmeunterschiede. Die Höhe beträgt bei etwa 150 cm, sein gewaltiger Körper 185 cm und sein dritter soget 250 cm, bis auf das Untergebieten *S. der Neuen Zoologie* zuzurechnen.

Gewohnheiten: Wir stehen vor einem äusserst aggressiven und fettbesetzten Tier, seine Bewegungen sind schnell und unberechenbar. In diesem Entwicklungsstadium ist wohl eine Hauptantriebsverhaltensweise dominant, denn es scheint die Bebeherrschung des Feuerspeiens entgehen zu haben. Einen grossen Teil des ausgespieenen Feuers schluckt es während des Einatmens wieder hineinein, was ihm wohl sehr unangenehm ist, da es nach den typischen Reaktionen beim Feuerspeien in seltenster Gemisch mit der Zunge überstreicht, das auf ein Unbehagen hindeutet, wenn es sich fahrplanmässig und Pausen zuführt. In Pestzeit...Rhoren etaerelt Unbehaltliche des Feuerspeiens läuft es zum nächsten Topf von Tisch, vor es hinpuntstucht, um das Feuer zu löschen. Es ist ein Allesfresser: es schreckt nicht von seinen Verwandten oder anderen Lebewesen aus noch einer Gewohnheiten der der Berufspflege (er wurde nie gepäfelt), und weils wissen auch nicht, ob es auf irgendeine charakteristische Weise auf den Tod eines Artgenossen reagiert.

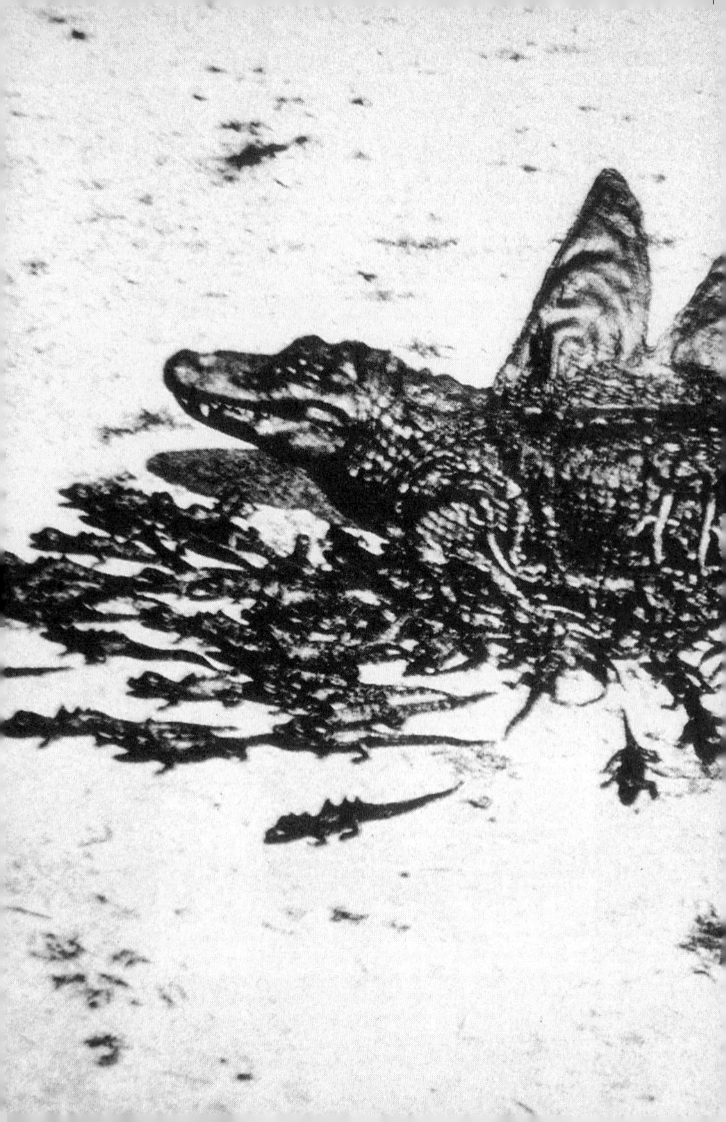

雌の成獣とその子供たち。

II

生息地――――――――キアレルリ博士主宰の動物学会議出席後、観光のためにとどまったシチリア島（イタリア）で発見。博士は私にシチリアの農民たちに伝わるひとつの伝説を話してくれたが、それによると16世紀にカタルーニャからの侵略者たちが捨てていった竜が、エトナ火山の近辺にいまなお生存しつづけているということだった。それから綿密な探索をおこなった結果、この動物は単なる神話なのではないということがわかった。それは実在する。私は2週間のうちに3個体を観察することができた。残念なことに、その捕獲はまったく不可能だった。

観察年月日――――――――1930年6月6日から20日。

全般的特徴――――――――研究室で個体をじっくり観察する機会はもてなかったため、その内部構造の詳細についてはこれを明らかにしえなかったが、あらゆる点から見てビロファグスはオオトカゲ類に属し、コモドオオトカゲとは直接的類縁関係にあるものと思われる。いずれにせよ、ふたつのきわだった特徴が、これを独特な動物としている。その堅固で巨大な背鰭と、火を食い、また吐くという、その独特の行動だ。火を吐くというのは、おそらく胃で生産されるガスが、空気との接触により燃焼するも

Pirofagus Catalanae

火を吐くピロファグス。

II

の。観察された個体の大きさは多様で、体長150センチから380センチにまでおよぶ。われわれの「新動物学」の分類第5番に対応。

習性――――――――これはきわめて攻撃的で危険な動物で、その移動は迅速で予測がつかない。すでに火を吐く能力が自らの思いのままにはならないように見受けられることから、進化上、一種の混乱段階に達していると思われる。口から吐き出す火の大部分は、自分が息を吸いこむたびにふたたび飲みこまねばならず、どうやらこれがピロファグスには大変な不快を感じさせるようだ。火を吐く際の特徴的な咆哮に続いて発する舌音には、歯茎と口蓋を焼かざるをえないことで感じる不満が、決まってこめられている。最悪の場合には口から吐く火がまったくコントロールできなくなり、もよりの川まであわてて走り、水に飛びこんでは消火に努める。雑食で、餌は食うまえにまず焼く。群れをなすことを好む動物であるらしく、孤独には耐えられない。日中は無気力で、日没とともにきわめて活動的になる。子供たちに対してなにか特別な態度を見せるかどうか、あるいは仲間たちの死をまえにして何らかの特徴的な反応を見せるかどうかは、わかっていない。

Pirofagus Catalanae

消火に努める。

II

火口近くで。

Profagus Catalanae

川にすっかり身を浸したところ。

II

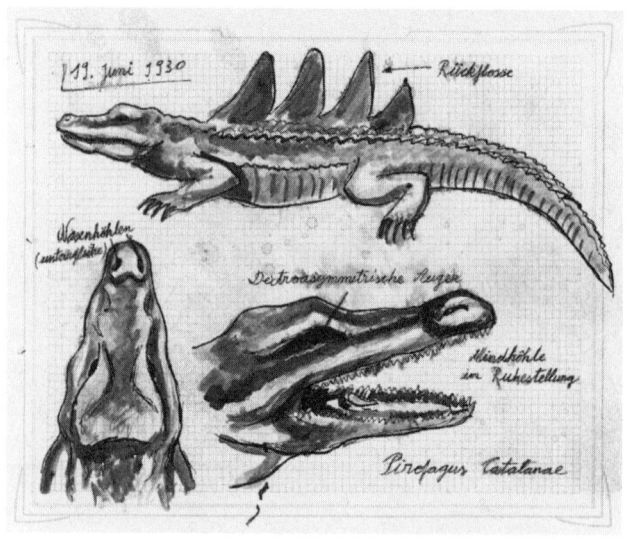

フィールドでのデッサン。

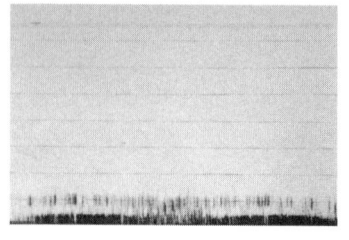

ソノグラム。

Cercopithecus Icarocornu

ケルコピテクス・イカロコルヌ

門
脊索動物
亜門
脊椎動物
綱
哺乳類

Cercopithecus Icarocornu   Cat.: 378-1965-32

Hauptstamm: Chordata   Stamm: Vertebrata   Klasse: Mammalia

Entdeckung: Im Amazonasurwald (Brasilien) mit Hilfe der bedeutenden Anthropologin Dr. Edson Velinho entdeckt, der ihn während eines Studienaufenthaltes bei den Nggala-Tebo-Indianern sichtete. Ich fuhr nach Brasilien und lebte in Begleitung von Dr. Velinho, der von den Indianern als Halbgott angesehen wird, und meinem liebsten Freund 12 Tage lang bei den Nggala-Tebo, um das seltsame Verhalten dieser außergewöhnlichen Tiere zu beobachten.

Beobachtungszeitraum: 27. Februar bis 12. März 2004.

Allgemeine Merkmale und Morphologie: Es handelt sich um einen langschwänzigen Affen mit großen Flügeln, die es ihm erlauben, mit Leichtigkeit in die Lüfte zu schwingen. Seine Morphologie ist augenscheinlich die eines Raubtieres und keinesfalls die eines Vogels. Die eingehende Untersuchung, die mir von einem der Wildbeuter ausgezeigt wurden, erlaubte chemische nähere Untersuchung des Tieres. Nach meinen Beobachtungen ist es ein Allesfresser, der sich unterschiedslos von Insekten, Früchten oder kleinen Tieren ernährt, die er mit seinen langen Krallen vorn im Fluge fängt. Es wäre der 6. Unterordnung der Neuen Zoologie zuzuordnen.

Gewohnheiten: Der Cercopithecus Icarocornu ist das heilige Tier der Nggala-Tebo-Indianer, für die es die Reinkarnation von Altayan (Dieser, den vom Himmel kam) darstellt. Der weibliche Tiere gebären im Inneren von großen, im Dorfzentrum stehenden Hütten, die von den Medizinmann betreten darf. Die Neubekommen bleiben solange in diesen Hütten, bis sie ihr Flugvermögen voll entwickelt haben. Dieser Moment wird mit einem großen Fest gefeiert, in dessen Verlauf das Cercopitheus einer Operation unterzogen wird, bei der ihm die Haut der Amazonas-Altayezies ringsum eingeplanzt wird, welche später die prächtige Brust und den Rücken bedeckt. Dann wird das Tier freigelassen, doch entfernt es sich nie weit von der Siedlung und beteiligt sich an allen heiligen Festen der Nggala-Tebo. Bei diesen Anlässen wird ihm ein alkoholhaltiges Getränk gegeben, das er gerne trinkt, um abzuheben in einem Taumelflug zu fallen, bei dem er mit den Flügeln so wild zu schlagen beginnt, daß er sich die nie selbst mit starkem Körper und mit der Brust des Besonnenen eingräbt. Wegen seiner Größe singt er in tiefen Tönen und stößt dabei Laute aus, die eine Art Litanei ergeben, welche die Eingeborenen, gleichsam als würden sie zu verzücken, aufmerksam verfolgen. Die Geschlechtsakt findet im Inneren der Hütte statt, die von den Cercopithecus aus aufgesucht wird, wenn der nahe Tod ihn spürt.

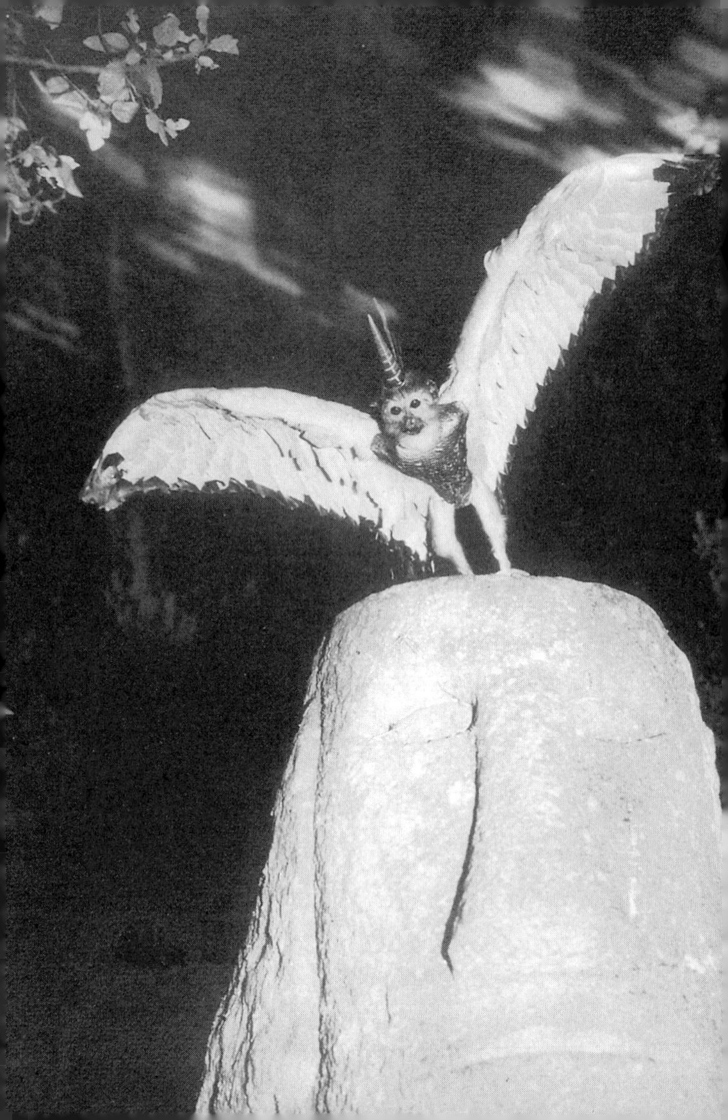

供犠のトーテムに止まって、呪術めいた歌をうたうところ。

調査旅行の地図。

II

生息地————————アマゾンの密林（ブラジル）にて、著名な人類学者エジソン・ネリーニョ博士の協力により発見。博士はニガラ・テボ族の調査中にこれを発見したもの。私はブラジルにおもむき、原住民からは半神だと思われているネリーニョ博士、および私の助手ハンスとともに、12日間にわたってニガラ・テボ族と生活をともにし、この驚くべき動物の奇妙な行動を観察した。

観察年月日————————1944年3月11日から28日。

全般的特徴と形態————————これは尾長猿で、さらに巨大な両翼をもち、すぐれて飛行能力の発達した動物となっている。見たところ形態学的には完全に哺乳類であり、鳥類を思わせるものはなにもない。いずれにせよ、われわれは原住民の厳重な監視下におかれていたため、この動物を徹底的に研究することはできなかった。観察しえたかぎりではこの動物は雑食で、飛行しつつその長く頑丈な角でとらえる昆虫・果物・小動物などを、なんでも食べる。われわれの「新動物学」分類第6番に対応するだろう。

習性————————ケルコピテクス・イカロコルヌはニガラ・テボ族の原住民にとっては聖なる動物であり、かれらにとってそれはアーズラン（空か

Cercopithecus Icarocornu

飛び立つ瞬間。

飛行。

らやってくるもの)の化身にほかならない。雌は村にある巨大な小屋の中で出産するが、この小屋には部族の大呪術師以外のだれも入ることができない。ケルコピテクスの子供たちはすっかり飛べるようになるまではこの小屋の中で成長し、小屋を出るときがくると、部族は豪奢な祝祭を催す。この祝祭においてケルコピテクスは、アマゾン河でとれた銀色の魚の皮を、胸と腹の全体を被うように移植するという手術をうけさせられる。それがすむと自由に放たれるが、それでも村からあまり遠くに離れてしまうことはなく、ニガラ・テボ族の聖なる祭りがあるときには必ず姿を見せる。こうした祭りに際してはケルコピテクスに対して一種の酒がふるまわれ、ケルコピテクスはそれをむさぼり飲み、完全な酩酊状態に陥り、気が狂ったように翼をはためかせはじめる。そして空中に体を浮かべて静止したまま、とりつかれたように歌をうたうのだ。その歌はきわめて荘厳で、この動物の大きさからいってかすかにしか聞こえないのだが、分節言語のように発声される一連の音は一種の詠唱をなし、原住民はその意味を理解するらしく、じっと耳をすましてそれに聞き入っている。

Cercopithecus Icarocornu

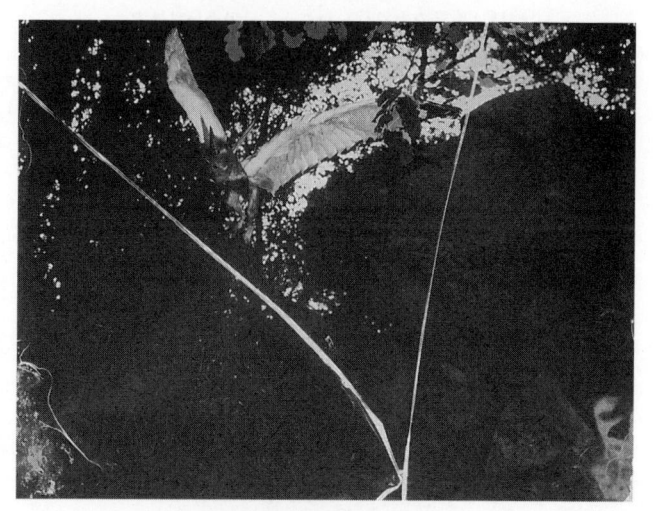

儀礼的祝祭に先立って。

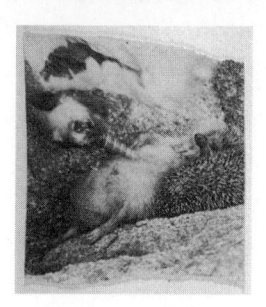

オルピコ・ニュを狩るところ。

II

　交尾は小屋の中で行なわれる。この小屋はまた、死期が近づいたことを悟った年老いたケルコビテクスたちが姿を隠すところでもある。

フィールドでのデッサン。

学術名・分類一覧

Solenoglypha Polipodida
   ダソククサリヘビ――――――脊索動物門脊椎動物亜門爬虫類綱

Micostrium Vulgaris
   カイガラカリウド――――――脊索動物門脊椎動物亜門哺乳類綱

Threschelonia Atis
   コウラワタリガモ――――――脊索動物門脊椎動物亜門亀甲胸類綱

Analepus Commisceos
   ウサギアシキノボリガモ―――脊索動物門脊椎動物亜門哺乳類綱

Myodorifera Colubercauda
   ヘビオニオイネズミ――――――脊索動物門脊椎動物亜門哺乳爬虫類綱

Perosomus Pseudoscelus
   ニセワルモノモリウサギ―――脊索動物門脊椎動物亜門哺乳類綱

Ictiocapra Aerofagia
   カゼクイウオ   *

Wolpertinger Baccabundus
   オバケモリカモノハシ―――――脊索動物門脊椎動物亜門単孔類綱

Improbitas Buccaperta
   オオグチビラキ――――――――脊索動物門脊椎動物亜門哺乳爬虫類綱

Felis Pennatus
   ツバサヤマライオン―――――脊索動物門脊椎動物亜門有翼哺乳類綱

Pollicipes Gigantis
    カワリオオアゴウツボ   *

Koch Basilosaurus
    クナシリシンカイオオトカゲ——脊索動物門脊椎動物亜門爬虫類綱

Alopex Stultus
    ハゲバカキタキツネ————脊索動物門脊椎動物亜門哺乳亀類綱

Squatina Squatina
    ニンギョモドキ   *

Pseudomurex Spuoletalis
    ドクニセイワガイ————軟体動物門腹足類綱

Tretrastes Plutonica
    メイオウチョウ   *

Elephas Fulgens
    ホタルゾウ   *

Centaurus Neandertalensis
    ネアンデルタールケンタウロス—脊索動物門脊椎動物亜門ホモ・ハビリス・サピエンス綱

Piluserpens Edax
    オオグイケモノヘビ   *

Pennalinx Inferus
    ジゴクツバサヤマネコ   *

Hermafrotaurus Autositarius
    フタナリウシ————脊索動物門脊椎動物亜門哺乳類綱

Pirofagus Catalanae
    カタルーニャヒクイオオトカゲ—脊索動物門脊椎動物亜門爬虫類綱

Cercopithecus Icarocornu
    イッカクトビザル————脊索動物門脊椎動物亜門哺乳類綱

*………ペーター・アーマイゼンハウフェン博士研究財団　The estate of Prof. Peter Ameisenhaufenにて分類中

解説

本章は、1989年、バルセロナの国立自然博物館で行われた「秘密の動物誌」
展カタログより訳出したものである。

「秘密の動物誌」はいまや書物のページを超え、世界各地30ヶ所
以上の会場で、写真、模型、ヴィデオ、動物たちの鳴き声の録音
テープなど多領域にわたる展示方法が試みられている。写真は、
ニューヨーク近代美術館での展示風景。

製作ノート

ジョアン・フォンクベルタ ✚ ペレ・フォルミゲーラ

III

　　　　　　　　　　　　こどもの頃に、われわれはいろんな嘘を聞かされてきたものだ。そのあるものは詩的で、別のあるものはそうでなかった。おとなになっても、あいかわらず多くの嘘を教えられている。いいかえれば、問題はこういうことだ。家で、学校で、大学で教わったことには、いったいどれだけの真実（厳密な意味での知的・客観的妥当性）が含まれているのか？　さまざまな本や博物館には、どれだけの真実があるのか？　さらには、いま新聞やテレビがわれわれに語るすべてには、どれほどの真実が含まれているといえるのか？　たとえば、人類はほんとうに月面を歩いたのだろうか？　一見したところ、たしかにそうらしい。それはその話を語ってくれた人々を信頼するからというためだけじゃなくて、いろんな写真もあれば、テレビ放映までやったくらいなのだから。

　　　　　　　　　　　真実は、あれこれのメディアに整形手術をほどこしつつ、それをわれわれにむかって証拠として提出する。写真はなかでももっともよく利用されるメディアであり、写真からの敷衍によって、われわれは現実を直接記録する視覚技術——レンズ——によって図像メッセージを生産するあらゆるシステムについて語ることができる。ところがこうした映像メディアは——いまやだれもが気付いているとおり——どれも容易に操作されうるものばかりだ。そこでは客観性とは、当初そう信じられていたようにそれらのメディアに内在する性質なのではなく、他の多くの可能性のなかから選びとられた、ひとつの選択肢であるにすぎない。それもあらためて見直すたびに、いよいよ現実らしさを失い幻想めいたものに見えはじめるような選択肢だ。

　　　　　　　　　　　月面着陸の写真を、われわれは信じている。宇宙探査の旅なんて、実はすべてが大がかりなヤラセかも知れないのに。それとは逆に、UFOの写真は信じない。そんなものはトリック写真だといい、ただ肩をすくめて、ただちに忘れてしまう。こうして写真ドキュメントの信憑性とは、まず第一に、写真が歴史的に担ってきた、真実の／疑いの余地のない／抗弁しがたいほど正確な情報の伝達者としての機能から、判定される。そして第二に（こちらこそいっそう重大なものでありうるのだが）それはこうした写真ドキュメントが奉仕する制度的言説のカリスマ性、ならびに情報発信者が受信者に抱かせることのできる信頼性に、かかってくるわけだ。

Conception and Genesis

　　　　　　　　　　　　　ぼくらのプロジェクト『秘密の動物誌(ファウナ)』が
まずめざしたのは、これらの問題を、あからさまな遊び心にみちた美学上の実験に
よってしめすということだった。メディアならびに文化的エスタブリッシュメント
が使う言説と用語の装置を、どんなふうにして解体することができるか？　あるい
はいっそう広い意味で、「認識」の生産と伝達のプロセスを、どんなふうに分解し
てみせることができるか？　その結果ついには、真実とはまったくの投機・賭けに
ほかならないということを、ぼくらは発見した。または、絶対的な真実など存在せ
ず、ただざまざまな程度で真実に近似して見える幻想があるばかりなのだというこ
とを。そしてこうしたすべての幻想は、たとえもっとも無邪気で無害に思われるも
のですら、なんらかの利害関係をその背後にもっているということを。

　　　　　　　　　　　芸術表現の素材として科学をとりあげるこ
とは、種々のコミュニケーション・メディアやそれが生むさまざまな神話や
決まり文句(クリシェ)にゆさぶりをかけることを、ただちに可能にしてくれた。それはそれら
メディアの神話やクリシェこそ、まさに80年代の芸術の大部分にとっての起源、く
りかえし立ち帰ってゆく参照点にほかならなかったからだ。科学——ここでは特に
動物学——は、ぼくらにまだまだ人があまり知らない新鮮な道を用意してくれたわ
けだ。そしてそれは、科学的諸制度がいまなおメディアに隷属することからはほど
遠く、一定の道徳的権威を保持しているせいだといえるだろう。

　　　　　　　　　　　『秘密の動物誌』は、1984年にぼくらふた
りが行なった写真と文章による共同製作から出発したものだ。その当時の目標は、
実際には存在しない想像上の植物のカタログ製作によって、「それは写真にうつっ
ているのだから実際に存在するはずだ」といった通俗的論理を皮肉りつつ、写真ド
キュメントの説得力の薄弱さをしめすことにあった。ぼくらの仕事がインスピレー
ションを得てきた人々のひとりであるボルヘス風の格言でいうなら「存在するとは
写真にうつるということである」。こうして現実とフィクション、自然界と想像界
とを隔てる、曖昧な境界線への旅を、ぼくらははじめたのだった。

　　　　　　　　　　　けれどもいまやぼくらは書物のページを超
えて、幻想の動物たちをめぐって、多領域的アプローチに立つ展示を試みようとし
ている。写真、X線写真、フィールド・デッサン、地図、動物学的分類カード、文

III

章、録音テープ、ソノグラム、ヴィデオ、動物の解剖標本、実験器具、がらくた、通信文、などなど。出発点にあった概念はより洗練され、より多様な読み解きを許すものとなった。そのための方法は、動物学および自然史博物館の提示・展示のレトリックそのものを採用することだ。この枠組みの下にあるとき、膨大なデータや、微を穿った細部や、それらが発する科学的厳密さの雰囲気が、どんなに途方もない内容ですら観客に信じこませそうになってしまうのだ——ただ観客自身が、それに抵抗しようという気を起こさない限り。そしてぼくらとしては、まさにそんな抵抗を望んだ。こうして制度の力、あるいは制度が情報に関してもつ支配力と、それに対する公衆の反応能力とのあいだに、一種の対立関係がうちたてられたわけだ。

動物学を素材とすることにぼくらふたりが合意したのは、それが不確実な余白をきわめて広くもった分野だからだ。人が知っているのは実はありふれた動物ばかりで、現存する無限の種をよく知ることなど、とてもできはしない。毎年、これまでに知られていなかった何千という種や亜種が発見されているということは、忘れてはならない事実だ。昆虫というもっとも小さな動物たちに話を限っても、毎年平均して5000の新種が発見されるという統計がある。また、地球上の広大な地域がいまなお接近不可能だということも、機会あるごとに想起しなくてはならない。大洋の隠された深淵、茫漠たる砂漠、錯綜した密林を思えば、これから未知の動物たちに出会うという希望は、まだまだいくらでも残されているはずだ。

ぼくらは計画にはっきりしたかたちをあたえるために、ひとつの物語を作りだした。それはドイツ人の博物学者ペーター・アーマイゼンハウフェン教授とその助手ハンス・フォン・クーベルトの物語で、このふたりはぼくらの分身だ。ぼくら自身がフォンクベルタとフォルミゲーラとしてやったことといえば、偶然発見された博士の研究資料のごく一部を整理して発表したにすぎない。つまりここで行なわれているのは記憶の捏造という仕事だということになるが、これは歴史家や考古学者や古生物学者の作業から、それほど遠く離れたものではない。ぼくらは一連の偽の記録や嘘の手がかりを解釈しながら、教授の伝記をたどり、その科学研究を検討した。それらの記録や手がかりには正しいものも含まれているので、人はまたもやはたしてどこまでが真実なのかという判断不

能におちいる。たとえば人為的に時代をつけた写真を、実際に古い写真と並べておくといったことを、ここでは行なってみた。

けれどもぼくらはまた、この企画を開かれたものにしておこうと努めた。この企画は、認識をめぐる哲学的議論を問題化することに、限られてはいないのだ。ところどころに本物の雑種や自然界に見られる奇形を含む、これら新たな怪物（奇形動物）たちをデザインし作りだすことだけでは、現代のさまざまな問題の多くに対して、なんの答えももたらしえない。ここにはたとえば奇形学あるいは突然変異研究の現段階での成果、または遺伝子工学やバイオテクノロジーをめぐる論争が、当然関わってくる。これをいいかえるなら、自然が生みだすさまざまな形態に対する、人間の想像力の限界という問題だ。エコロジスト的感受性の持ち主なら、ここに、ある前兆めいた意味合いがこめられていることを、見逃しはしないだろう——これこそ未来の動物たち、汚染とあらゆる種類の化学物質や放射能による攻撃にさらされた、危機的環境に住む動物たちなのではないか？　あるいは熱心なダーウィン主義者たちには、次の刺激的な問いを考えてみてほしい——ここに提出した動物たちは、進化の系統樹からはずれた例外なのではないか？　先史時代にたしかに存在した生物のあるものは、これらの動物たちよりもずっと信じがたいものではなかったか？　そしてこうした仮説をあえてさらに一歩すすめていうなら、これらの奇怪な動物種は、人間以外のなんらかの知性形態と関連づけることができるのではないか？

以上のような科学的要素にくわえて、『秘密の動物誌』はまた神話や中世の動物図絵といった、他の領域からも発想を得ている。ぼくらの作った動物のいくつかは、その形態上、古代神話に出てくる動物やルネサンス以前の博物学者たちが実在すると述べていた驚異的なキマイラ動物たち［キマイラそのものは獅子頭・山羊胴・蛇尾の火を吐く怪獣——訳者、以下同］——セイレーン［半女半鳥の海の精］、ヒュドラー［九頭の蛇］、バシリスク［アフリカの砂漠に住む火竜］など——をモデルとしている。また他の場合には、多くの動物たちに伝統的にあたえられてきた象徴的意味が手がかりとなった。たとえば蛇や竜などは、地球各地の地理的に離れた多くの諸文化において、悪の力を体現するものとされている。

III

　　　　　　　　　　　　　　　この企画の制作におけるもうひとつの重要な側面は、その文学的性格だった。この意味では、そこには恐ろしいと同時に共感を覚えさせもする怪物たちにみちた、ゴシック小説および幻想文学の伝統全体につらなる面があるといえるだろう。そしてもちろん、とりわけ文学および映画において目をみはるべき成果をあげてきたSFの世界全体が、ここに関わってくる。

　　　　　　　　　　　最後に『秘密の動物誌』はまた、民間伝承（フォークロア）の怪物たちとの接触点をもつことをも隠しはしない。そこには宗教儀礼や、観光的目的（忘れることのできないネス湖の恐竜）や、あるいは単なる冗談としての、怪物製作譚が含まれる。この単なる冗談としての怪獣という点で特に興味深いのはジャッカロープ［ジャックラビット＋アンテロープ、つまり巨大な角ウサギ］という、ニュー・メキシコ、アリゾナ、ワイオミングといったアメリカ西部の各州で一種のマスコットとされる動物や、あるいはバヴァリア地方に出現する各種のヴォルパーティンガーで、これはアルコール消費の程度に応じて見えたり見えなかったりするおばけ動物だ。

　　　　　　　　　まとめとしていうなら、ここでぼくらはさまざまな創造的分野を規定するいろいろな条件を切開しながら、「リアリズム」ならびに「写真イメージの信憑性」だけではなく、さらには「科学的言説」ならびに「あらゆる認識形成メカニズムに潜む技術や策略」までをも考え直してみようということを、提案しているわけだ。ちょっとしたユーモアと、読者のみなさんとのあいだにどうしてもいくらかは必要な共犯関係とが、つねに見失ってはならない批判精神の妨げにならないことを、ぼくらは願っている。なぜならそんな批判精神こそ、われわれをいっそう覚醒させ、いっそう自由にしてくれるものなのだから。

　　　　　　　　　　　　　　ジョアン・フォンクベルタ／ペレ・フォルミゲーラ
　　　　　　　　　　　　　　バルセロナ、1989年5月

非存在の実在証明

ペレ・アルベルク

III

　　　　　　　　　　　　　　サン・フアン・デ・ラ・クルース［スペイン16世紀の神秘主義者——訳者］は、かつてこういった。「牢獄の窓——肉体という牢獄にすえつけられた感覚という窓——を通して世界全体を瞑想する可能性なくしては、人間もその魂もありえない」。しかし現実とは、ただわれわれの感覚の本来的な限界によって画定されるにはとどまらず、アーマイゼンハウフェン博士の『秘密の動物誌』がよく見せてくれるとおり、その現実がおかれた文脈によっても定義されている。科学の形式主義をある奇妙な文脈において遂行するというこの操作こそ、フォンクベルタとフォルミゲーラの企画を、単なる想像の動物図鑑以上のなにかに転換するものだ。

　　　　　　　　　　　　長い年月にわたる展開をとげるうちに、科学はきわめて特徴的な情報提示様式を発達させてきた。一般的にいって、科学の文体には多くの専門用語（ジャルゴン）が含まれ——これは避けがたい——それとともに、どうにも無味乾燥な文章が書かれつづけている。洗練された優雅さや個人的な感情といった、主観的なものにとどまらざるをえない要素は、どれもうわついたものだと見なされ、排除される。簡潔さこそ、最重要。科学の形式主義には「形式が内容を規定する」という潜在的メッセージが含まれているのだ。「科学的」テクストをまえにしても、素人はそこで使われる専門用語のために、それを理解することができない。それなのに理解しないままただちに、そこに語られる情報は真実だと思いこんでしまう。なんといってもそれは「科学！」なのであり、こうして科学は「現実」の独占支配を完成することになる。

　　　　　　　　　　　　　　フォンクベルタとフォルミゲーラが見せてくれる手法は、陳列されるイメージと、イメージに付随するしばしばグロテスクな物語とにあらわに見られる不条理性によって、人に衝撃をあたえるような科学的テクストを作りだすことを、企んでいる。写真や図解がどれもテクストに従属しているように見える点も、この本質的にはヴィジュアルな企画の、誤解を招きかねないもうひとつの側面だ。全体がこのように科学的言説の方法のパロディーであるとき、図版その他の資料は、ただテクストが語る「現実」の証拠づけとしてのみ存在するかのようだ。こういった図解的資料の使用法は、それ自体、内容と提示方法とのあいだに存在する矛盾を、無言のうちに強調しているといえる。

1988年、ニューヨークの近代美術館で開かれた『秘密の動物誌』の展示を訪れた私は、フォンクベルタとフォルミゲーラの効果的な会場作りを、この眼でたしかめることができた。特に意味深いと私が思ったのは、展示場に入る観衆は、ここに展示された情報を本物だとあらかじめ思いこんでいる、という事実だった。ドイツ語「オリジナル」の動物学的記述に細心な英訳をそえ、細部を穿った写真、X線写真、またある種の動物たちが発する音声の「録音」テープなどを準備して、科学的な展示・説明方法の転覆的な使用を試みるこのふたりのアーティストは、観衆を、いま自分は美術館にいるのだということを忘れるようにと、執拗にしむける。観衆は展示されている動物たちの実在を、なかなか疑いはじめない。元来人間の創造的活動のためにある、美術館という場所を舞台としていることで、この事態はいっそう、科学的文体がいかに強力な説得力をもつかについての、印象的な証明となった。ただちに私は、この展覧会を私どもの自然科学博物館で行うことを想像した。博物館という舞台にこれを移せば、容器（博物館）と内容（この展覧会）との対立はさらに豊かな読みをもたらしうるだろうし、現実と幻想との対話から、この「現実」というものについての、新たな考え方が出てくるにちがいないからだ。

　　　　　　なかには科学博物館で芸術の展覧会を行なうことがはたして適切かどうかと、疑問に思われる方もおられよう。国立自然博物館（MNCN）がフォンクベルタとフォルミゲーラの企画に扉を開いたのには、ふたつの理由がある。第一の理由はイメージの問題だ。フォンクベルタとフォルミゲーラがかれらの展示制作に利用した、昔の博物館を特徴づける19世紀的・ヴィクトリア朝的美学——骨格標本やガラス・ケースに並べられた動物の剥製——を称揚することは、全面的改修を経たMNCNにおいてはじめて可能になった。このおなじ展覧会を3年前にここで行なったとしたら、それは当時の博物館の実体に対する残酷な冗談にほかならなかっただろう。新しいMNCNには、種々の展示物のみならず、さまざまな概念の冒険を入れる余地がある。新しいMNCNにとって、『秘密の動物誌』が提議している芸術と科学の弁証法は、現代芸術理論の言説内部での重要な主題であるばかりか、科学的観察の実際についての注釈としても、きわめて重要なのだ。フォンクベルタの最近の論文「芸術、科学、そして自然」（「ラピス」63

III

号、20−21頁、1989年）から引用する。

　　　　　　　　　　　　「ここで出てくるのは、まず、芸術と科学の対立という構図についての、当然あってしかるべき疑問だ。ルネサンス以降に生じた両者のこの分岐は、それ以後どんどん承服できないものとなってゆく、ある種の論争を生んできた。たとえば、科学は事物の客観的・合理的認識をもたらし、一方芸術は主観性と直観の領域で活動するもの——つまり前者は理論を、後者は詩法〈創造の技術〉を担当するものだ、という二分法のような。そしてこのことは、科学はまず現実を相手に作業をすすめることが肝要であり、芸術はもっぱらフィクションと想像の世界で仕事をするべし、という結論にむすびつく。個人的にはぼくは、芸術と科学が表しているものはまさにただひとつの創造的プロセスにおける弁証法的なふたつの視点なのだ、とする考え方に与する。そしてこのふたつの視点がぴったりと一致したとき、われわれは世界と人間自身をめぐる冒険に、思い切って足を踏み入れることになるのだ、と」

　　　　　　　　　　　　『秘密の動物誌』を展示する第二の理由は、純粋に科学的な動機による。フォンクベルタとフォルミゲーラの企画は、単なるSF的実践やただの超現実的動物図鑑といったレベルを超越して、あらゆる科学博物館の展示に内在する、ある根本的な役割を見事にはたしている。それはわれわれの批判的思考を刺激し、幻想から目覚めさせるということだ。現在の世界とはちがった可能世界をかいま見るのは、魅惑的な体験だ。なぜならそれは、生物学の基本的問いのひとつを、われわれが自分自身にむかって問いかけずにはいられないようにするからだ。「なぜ自然界にはこの形態があって、別の形態は存在しないのだろう？」

　　　　　　　　　　　　私たちは自然の多様性にあまりにも眩惑されてしまうために、世界は現在あるかたちとは大きく異なった別のかたちをとった可能性だってあったのだということを、しばしば忘れてしまう。ダーウィンの著作『種の起源』（1859年）が、われわれの自然界に対する見方を一変させる、概念上の革命をひきおこして以来、科学者たちは自然界に存在する多様性を進化のプロセス

の必然的かつ唯一の結果だとする見方をやめ、現存する動物たちはあらゆる可能な動物たち全体のうちのごく小さな下位グループを形成するにすぎない、と考えるようになった。

「実在する」ものは、「存在しうるもの」の小さな一部分にすぎない。この事実は、ただ過去の動物界を観察してみるだけで、あきらかになる。進化はこれまでに、われわれが現在の世界で知っている形態とは似ても似つかない形態の動物たちを、たしかに生みだしてきたのだ。たとえば、知られているかぎりの最初の多細胞生物たちは、オーストラリア南部、エディアカラの丘陵地帯の化石堆積物の中から発見された。それは平べったい、軟らかいからだをした生物で、7億年ほどまえの前カンブリア紀の海に住んでいたものだ。この奇妙な生物たちは、生物学的にいって貧しい環境になんとか適応するという実験を行なった後、おなじ系統の子孫を残さないまま絶滅した。そしてこの生物と現行生物とのあいだの関係については、まだ説明がなされていない。

今日の植物界・動物界ではもはや見ることのできない、きわめて多様な形態への進化を成功させた動植物の例は、いくらでもあげることができるだろう。アンモナイトや三葉虫類はよく知られた例だが、おそらくそれ以上に興味をひく、そして疑いなくそれ以上にポピュラーな自然の実験は、恐竜だろう。エディアカラの生物たちとはちがって、恐竜たちと現行形態の生物とのあいだの関係はあきらかだ。恐竜は、現行の鳥類とも密接な関係にある、爬虫類に属していたのだから。ところで、形態学的組織の面から見れば一定のシステムに立っていたにもかかわらず、恐竜たちの生態学的適所は、驚くべく多様な拡がりをもちつづけた。そこで恐竜たちの分岐は、驚異的にゆたかな形態上の多様化を、必然的にともなうことになった。こうしてわれわれはだれでも、こどもの頃から、恐ろしく首の長いディプロドクス、角の生えたトリケラトプス、戦慄の肉食恐竜ティラノサウルス、魚のかたちをしたイクティオサウルス、そして翼竜プテラノドンその他、いずれ劣らぬ奇怪な形態のたくさんの恐竜たちを知ることになったというわけだ。

自然界の諸システムがこうして新たな形態を生みだし、その後やがてなんらかの理由で絶滅し、別の一系列の形態に場所をゆ

III

ずるというこの驚くべき能力は、われわれ自身に、「はたして人間には可能なものすべての限界を想像する力があるのだろうか」という疑いを抱かせずにはいない。そしてまさにこの点こそ、科学と芸術が一致する一点にほかならない。というのは、自然がたしかにプテラノドンという空飛ぶ巨大な爬虫類を生みだすことができたのなら、フォンクベルタとフォルミゲーラが記録したような空飛ぶ象(「アエロファンテ」)だって、その存在を疑わねばならない必要があるだろうか? われわれ人間に、自然界がもつ可能性の限界を画定することなど、はたしてできるのだろうか?

現実界と想像界とのあいだには、いったいどんな関係があるのだろうか? 人間の想像力は、存在しえたかも知れないのに実際には生まれることのなかった新種の動物たちのかたちを、これまでも次々に考えだしてきた。すでに先史時代の洞窟絵画に、人間と動物との混合種である複合的生物(ハイブリッド)が見られるし、それは現実の観察からではなく、人間の空想から生まれてきたものにちがいない。

こういった空想が生んだ存在の最良の例のひとつとして、「魔術師」あるいは「角のある神」と呼ばれるものをあげることができる。それは動物の頭をした疑似人間的存在のイメージで、雄鹿の角、馬の尾、猫のペニスをもっており、フランス南部トロワ・フレールの旧石器時代初期の洞窟絵画に描かれている。この「魔術師」は、宗教儀礼に関係する想像上の存在として、人類史に最初に現れたもののひとつだ。この伝統に立って、神話は新たな種々の形態の生物を生みだす、きわめてゆたかな源泉となった。これらの形態は、さまざまな部品を、ある中心的な象徴作用(シンボリズム)に組み合わせることでできあがる。たとえば竜、天使、悪魔、セイレーン、一角獣などのかたちがもつ意味については、これまですでに多くの解釈が書かれてきた。神話に現れた生物形態についての詳細な分析を試みるのは私の手にあまるし、ここはそのための場所でもないが、そうした形態がある特別な感情(恐れ、勇気、善良さ、獰猛さ、など)をひきおこすために作られたものだということは、指摘しておいていいだろう。こうしてそれらの形態は、そのかたちによって複合的な感情や諸価値を伝達するという、特定の機能を担っているわけだ。

芸術においては、これとは独立したひとつ

の伝統を見出すことができる。芸術にあっては、形態の論理は純粋に形式的な実践(かたちをめぐる)
となっている。ボッスからジョアン・ミロをはじめとする現代のシュルレアリスト
にいたる多くの画家たちは、新しいかたちが織りなす宇宙を創造しようと試みた。
かれらの作りだす生物的形態(ビオモルフォ)の創出規則は、なによりもまず美学的形式主義［ある
かたちの論理を現実への参照なしに徹底してつきつめること］に立っている。シン
ボリズムに支配された神話的文脈とはちがって、芸術的実践がそれらの創出規則を、
シンボリズムに強いられた限界から、解放するのだ。

　　　　　　　　　　　フォンクベルタとフォルミゲーラは、現実
の境界を拡げようとするその意図において、こうした芸術伝統を継承しているとい
える。ふたりはアーマイゼンハウフェン博士の偽の年譜に、こう記している。「彼
は世界中のほとんどすべての国に旅した。……これまでに発見された動物種を、み
ずから分類した」。実際には、教授の旅は外部世界にむかうものではなかった。
アーマイゼンハウフェンの秘密の『動物誌』が反映するもの、それはわれわれの夢、
われわれの内なる幻想を横断してゆく旅にほかならない。

　　　　　　　　　　　　　　　　　　　　　　　（バルセロナ国立自然博物館長）

日本語版解説
『秘密の動物誌』の歴史

われわれは

いかにして

それを

追跡したか

荒 俣 宏

　　　　　　　　　　　　　　　どうか、おどろかずに聞いてほしい。冷静にこの話を受け容れてほしい。ここに集められた『秘密の動物誌』は、冗談でも人かつぎでもないのである。厳然としてこの世に実在し、長い歴史を積み重ねてきたひとつの「学術分野」なのである。つまり、これはジョアン・フォンクベルタとペレ・フォルミゲーラとがはじめて世に問うた想像力あふれる創作では、決してない。本書は、近現代の動物学者に不当にも無視されつづけてきた〈幻想動物学〉のとびきり豊かな最新成果の一例なのである。

　　　　　　　　　　　　まず、解説子の体験からお話ししよう。ドイツはミュンヘンの一角にその威容を誇る科学技術専門博物館〈ドイチェス・ムゼウム〉を見物に行った折のことである。ふと思うところあって、ミュンヘンの中心街にある狩猟博物館を訪れたのは、ヨーロッパの剝製製作技術について解説子が個人的に関心を深めていたからであった。

　　　　　　　　　　　ずらりと並んだ鳥や獣の剝製を見物しているうちに、館内のいちばん奥まったあたりで、途方もない代物(しろもの)に出くわした。ミュンヘンを含むバヴァリア地方に古くから住むといわれた伝説の珍獣ヴォルパーディンガーの剝製が、そこにあったからである。解説子は思わずわが目をうたがった。

　　　　　　　　ヴォルパーディンガーとは何か？

　　　　　すでに近代博物誌の開祖コンラート・ゲスナーが16世紀に図示している、きわめて珍しい森の獣の名前である。この動物はウサギに似ているが、鹿のような角があり、個体によっては狼に似た牙をももつ。月夜の晩に山中で出会うと、人間の声で話しかけてくるという。また、本書の原著書が述べるように、アルコールを飲んだ人にしか見えないともいわれる。

　　　　　　　　　　　　この、グレムリンを思いださせる珍獣の剝製を見て、繰り返すが、解説子はわが目をうたがった。これまで幻想の動物といわれてきた怪物の標本が、実在の鳥や獣と肩を並べて展示されている。こんなバカげたことを、博物館ともあろう〈事実の守護神〉が、おこなってしまっていいものか。

　　　　　　　　　さっそく館長に面会をもとめると、人の良さそうな老人があらわれ、「むかしは40以上もヴォルパーディンガーの剝製を飾っていたのだが、動物愛護の人々に抗議されて、これだけに減らしたんですよ」と説

明してくれた。この架空獣が、40体以上も！　館長によれば、ヴォルパーディンガーはミュンヘン市民なら誰でもその実在することを知っており、たとえそのあたりの森でこれに出会っても、おどろいたりはしないのだそうだ。現に、狩猟博物館の売店には、ヴォルパーディンガーの絵葉書がいくらでも売られていた。館長からそれをプレゼントされ、狐につままれた気分でいると、たまたま近づいてきたイギリス人老夫婦が、「あっ！」と声をあげたのである。

なにごとかと、その老夫婦に問いかけたところ、「このヴォルパーディンガーとかいう角ウサギと同じ奇怪な剥製を、プリマスの自然史博物館で見たんだよ」と、ご主人。

すかさず、魔女みたいに派手ないでたちの奥さんも、「いいえ、あたしはアメリカのイエローストーン国立公園のみやげ物屋で、そこにしか住まない珍獣だっていうジャカロープの絵葉書を買わされたことがあるのよ。それも角のあるウサギでね、このヴォルパーディンガーそっくりだったわ」と、フォロー。期せずして世界のあちこちで語られてきた〈角のあるウサギ〉についての情報交換がおこなわれたのである。それだけならまだしも、解説子はミュンヘンを発つ日の早朝訪れた朝市で、なんと！ほんもののヴォルパーディンガーの剥製が、みやげ物屋の店先に並んでいるのを発見してしまった。ミュンヘンには、この珍獣がごろごろしていたのだ。

それゆえ、ここに紹介されるアーマイゼンハウフェン博士の標本類は、世に二つとない孤独な生物の痕跡、というわけではさらさらない。博物学界ではきわめて有名な「実在する幻想獣」なのであり、博士の集めたペロスムス・プセウドスケルスやペンナリンクス・インフェルスは、まちがいなくこのヴォルパーディンガーの一亜種なのである。

それだけではない。つづいては博士のいわゆるケンタウルス・ネアンデルタレンシスである。ギリシア神話に登場する半人半馬の怪物を模倣した——それでもなお明らかに架空の存在といえるこの生きものは、人間と会話できるという。どうせ架空なんだから、どうでも勝手にしたらいいさ、と冷笑したくなる標本かもしれない。ところが、この怪物とそっくり同じ生きものの骨格標本が、学術施設にもちゃんと存在している！　それもイギリスのアカデミ

ズムを代表するケンブリッジ大学附属獣医学協会が保管しているのである。この骨格標本は全長60センチ、体高60センチの小さなものだが、こわいことに、アーマイゼンハウフェン博士のケンタウルスの記述と、大きさがいちいち一致する。

　　　　　　　　幻獣たちは本書の枠を超えてあちこちに実在する。実は、本書の原著者フォンクベルタ自身、秘密の動物誌がここに発表されたものだけで尽きているのではないことを、証明してもいる。なぜなら、この日本語訳版は元来のスペイン語版に収められていない新資料を、3種も増補しているからである。

　　　　　　　　ちなみに、増補された3種とは、ポリキペス・ギガンティス、コック・バシロサウルス、およびスカティナ・スカティナである。そしてこれらに関しても、ヴォルパーディンガーと同様に、非在物の存在証明がきちんと辿れるのである。

　　　　　　　　一例として、ニンギョモドキと新和名を与えたスカティナ・スカティナを取りあげよう。アーマイゼンハウフェン博士はこの珍動物について、まったく何ひとつ解説を加えていない。しかし、この動物はすでにルネサンス時代からヨーロッパの好事家に知られた珍品であった。17世紀以降、この動物は〈ジェニー・ハニヴァー〉Jenny haniver と呼ばれ、貴族の博物陳列棚には欠かせぬ逸品とされてきた。その姿は、まるで宇宙人のようにこの世ばなれしている。ひらべったい、するめの怪物のごとき形態をもつが、半面で人魚を思わせもする。しかし、鼻孔はあっても鼻梁はなく、くちびるはあっても顎がない。首さえなく、胴体に直接顔が付いている。

　　　　　　　　スカティナ・スカティナことジェニー・ハニヴァーは、オランダやベルギーの沿岸でたまに捕獲される。この怪物標本を研究したリヴィス・ミードの説によると、ハニヴァーとはフランス語のアンヴェル――すなわちアントワープの訛りであり、おそらく17世紀最大の文化都市であったアントワープで剥製がつくられたことの名残りであろうという。

　　　　　　　　このジェニー・ハニヴァーは、1553年にピエール・ブロンが刊行した魚類誌の中に〈海中の鷲〉として紹介されたのが文献初登場と思われる。つづいて1558年にコンラート・ゲスナーが〈飛ぶドラゴン〉とし

て、さらにイタリアの大博物学者ウリッセ・アルドロヴァンディが著名な『全集』の魚類編で〈海の鷲〉として図示した。もちろん、これらジェニー・ハニヴァーの剝製たちは、オランダのライデン国立博物館や大英博物館自然史部門に今なお保存されている。

そして世の中には、アーマイゼンハウフェン博士自身のように、秘密の動物誌研究をこころざす奇特な研究者もまた、少なからず存在する。その一人で貝類学の大家ピーター・ダンスは、ヨーロッパ各地に残るジェニー・ハニヴァー標本をいちいち実見し、それらがイギリス沿岸に住むアカエイの仲間（*Raja clavata*）やカスザメの仲間（*Squalus squatina*）に酷似する事実をさぐりだした。アーマイゼンハウフェン博士が、かれのジェニー・ハニヴァーにスカティナ・スカティナなる学名を与えたのも、おそらくはダンスの業績に負っているのだろう。なぜなら、カスザメの一種の学名は、前述したように、スカルス・スカティナであるからである。

ちなみに、解説子も1990年夏に大英博物館で開催された世にも珍奇な特別展示会——〈フェイク展〉を訪れ、このジェニー・ハニヴァーを２個体見物することができた。まぎれもなくスカティナ・スカティナであった。好事家への参考として書いておくが、この怪物の標本はよほど人気があったと見え、今もなおヨーロッパの蚤の市あたりで、古い干物のごとき標本が売りに出ているのにぶつかることがある。

ここらで鳥類へも目を向けてみよう。本書には、少なくとも鳥類の特徴を一部にそなえた珍獣が６種ほど記載されている。すなわち、トレスケロニア・アティス、アナレプス・コミスケオス、フェリス・ペンナトゥス、トレトラステス・プルトニカ、ペンナリンクス・インフェルス、ケルコピテクス・イカロコルヌである。書くまでもなく、これらも本書ではじめて紹介されるまがいもの動物ではありえない。実在の歴史が語れるのである。いま、その証拠を示そう。

スウェーデンのゲテボルイ博物館に、〈ウィトリスク・ストラントムドラー〉、すなわち白ロシアの海辺イノシシ、といった意味の愛称をもつ標本が展示されている。1960年に公開されたこの剝製標本は、小型

のイノシシでありながらリスの尾と水禽の足をもつ珍種である。同博物館ではこれにリルパ・リルパと学名を与えた。おまけに記載者がミュンヒハウゼン博士（伝説的なホラ話の大家！）とは、できすぎている。

1960年代は秘密の動物学のうちとくに鳥類に成果が見られた時期であったらしい。この時代にはロンドンのニューボンド・ストリートに「トマス・ベッシー」という名の翼猫もお目みえした。性別が不明のため、男名と女名の代表トマスとベッシーをつなげた愛称であった。このトマス・ベッシーにきわめて近いと思われるのが、本書に紹介されたペンナリンクス・インフェルスである。

だが、本書に記載された翼をもつ動物のうち、われわれの目をもっとも強く刺激する種は、ケルコピテクス・イカロコルヌであろう。実はこの珍種にそっくりの標本が、やはりヨーロッパで1875年に公開されている。この標本は当時「不詳種」とされ、イギリスの著名な博物学者フランク・バックランドに購入された。かれはこれを中国の骨董商人から100ポンドほどで入手した。バックランドの記述は次のようである。「……この動物は背にコウモリのごとき翼をもち、手足には鋭い爪がある。姿は奇妙なほど人間に似ている」

ケルコピテクスが前肢をもたず、羽根のある翼をそなえ、頭上に角をもつところは、バックランドの「不詳種」と異なる。しかしどちらも翼をもつサルの仲間という点では同じである。

ついでであるから、俗にドラゴンと呼びならわされてきた幻想動物についても簡単に触れておく。ドラゴンは東洋の竜と比較されるゆえ、その形状については多言を要すまい。しかしそれにしても、アーマイゼンハウフェン博士が記述したピロファグス・カタラナエは、不穏なほど伝説の怪物に習性が似ている。まず博士のノートから引用しよう。「……あらゆる点から見てピロファグスはオオトカゲ類に属し、コモドオオトカゲとは直接的類縁関係にあるものと思われる。いずれにせよ、ふたつのきわだった特徴が、これを独特な動物としている。その堅固で巨大な背鰭と、火を食い、また吐くという、その独特の行動だ。火を吐くというのは、おそらく胃で生産されるガスが、空気との接触により燃焼するもの。（中略）最悪の場合には口から吐く火がまったくコントロールでき

なくなり、もよりの川まであわてて走り、水に飛びこんでは消火に努める」

エトナ火山の近くにいまなお生息するというこのピロファグスこそ、伝説のドラゴンの生き残りである。

なぜなら、水のエネルギーを食って生きる東洋の竜に対し、西洋のドラゴンは火を食いものにしていて、腹の中につねに火を宿している。そのためにドラゴンは、体が燃えあがらない予防策として水辺に暮らし、体温が上昇するのを防いでいるのである。ピロファグスの習性は、このドラゴンに一致する。

思わず話が長くにわたってしまった。要するに秘密の動物誌研究が西洋で細ぼそとだが確実に継承されてきた事実が、まずもって証明されればよい。本書が決して孤立した作業ではなかったという事実が明らかになったところで、さて、解説子は次に、アーマイゼンハウフェン博士自身に関するいくつかのコメントを付そうと思う。というのも、秘密の動物誌研究にたずさわる人びとには、何かこの——いわば〈非存在の実在証明〉といったような、あい矛盾した現象と行為の結合を、楽々と達成できる気質が欠かせぬからである。

ペーター・アーマイゼンハウフェンは1895年にミュンヘンで生まれている。父のヴィルヘルムは探検家、狩猟家にしてサファリ・ガイドでもあったという。解説子がすでに述べたとおり、ミュンヘン市はことのはじめから、ヴォルパーディンガーという幻想動物の跋扈する街であった。博士がここで生を享けたのは、まさしく運命的であり、狩猟家であったかれの父が、同市の狩猟博物館にふかくかかわっていたことは想像に難くない。申すまでもなく、この博物館は実在と非在の両方の動物を展示する〈秘密の動物誌〉の殿堂だった。

そしてもちろん、母方の血統も軽視できない。かれの母ジュリアはダブリン生まれであった。ダブリンはアイルランドの首都。アイルランドは妖精を見ることができるといわれたケルト族の本拠である。おそらく、妖精を見る能力を、アーマイゼンハウフェンは母から受け継いだのであろう。

さて、ペーターは、10歳のころにアフリカへ赴き、野生動物の宝庫に足を踏みいれている。見も知らぬ珍奇な野生動物たちとの出会いは、かれに博物学的な情熱を搔き立たせることになった。「……こうした

小さな動物たちのあるものが死ぬと、ペーターはそれを解剖し、体内のようすをじっくりと観察しました。叔母はこれを心から厭い、特に家中に死臭がひろがりはじめると、もうたまらないと嘆きました。それ以来、私はずっと疑問に思っていることがあります。そのころ家で死んだ動物たちの死因のすべては、はたしてほんとうに自然死だったのだろうか、と……」（妹エルケ談）

すなわちペーターは、野生動物に異常な関心を寄せつつも、これを殺して解剖し、さらに標本化せずにおられぬという、ナチュラリスト本来の〈業(ごう)〉に衝き動かされたのである。

しかし、これだけならば、単純でノーマルな時代遅れの博物学者がもうひとり誕生しただけのことである。あえて秘密の動物誌研究へ踏み込むには、もうひとつ別のインパクトを体験しなければならない。それはなにかといえば、かつて非在の怪物たちを研究し著書を公けにした先達たちの情熱に触れることである。換言すれば、非在愛ウィルスとも呼ぶべき狂熱の種(たね)を、先達から植えつけられることである。その媒介が、古い博物学書だった。

アーマイゼンハウフェン博士の評伝によれば、「彼の研究室はあれこれの稀少かつ高価な書物でみたされていたが、その蔵書を訪問客に見せることは、これもめったになかった」という。しかし、1955年に博士が失踪したあと保管されてきた蔵書群の内容が、わずかに公表されている。そのうちには「いずれもきわめて貴重な、あらゆる時代の科学論文が含まれ」ていた。アリストテレス（の『動物誌』）、ケルスス（の『医術について』）、プリニウス（の『博物誌』）、パラケルスス（の『妖精の書』）、セルベト（の『医書』）、ライプニッツ（の『中国の自然哲学について』）、バートン（の『憂鬱の解剖』）、ラマルク（の『動物哲学』）、ベイツ（の『アマゾン河の博物学者』）、そしてダーウィン（の『種の起源』）などが、その一例である。ちなみに、このうちケルススとセルベトは日本の読者に馴染みのない名と思われるので、簡単に紹介しておく。ケルスス（前35頃－後45頃）はローマの百科全書執筆者で、古代ギリシアのヒッポクラテス医学とアレクサンドリアの医学を総合し、とりわけ手術法について画期的業績をあげた人物である。またセルベト（1511-53）のほうはスペインの神学者で医師、血液の肺循環を発見したが、異端審問にかかり火刑に処せられた。

だが、以上に述べた人びとの著作は、まだほんの〈たてまえ〉にすぎない。その〈ほんね〉の部分にこそ、かれの蔵書の秘密があった。すなわち、かの日本における非在動物学者の泰斗澁澤龍彥氏が偏愛したセバスティアン・ミュンスターの『宇宙誌』、現在なお架空動物と奇形の名著と評価されるアンブロワーズ・パレの『奇形と怪異について』、そしてかの有名な『リノグランデンティアの身体構造と生態』などの怪物書である。これに、絵入りで怪物と奇形を語ったウリッセ・アルドロヴァンディの『全集』、および本文に出典不明の挿絵として掲載された〈角をもつサル〉の図（本書33頁）を収めたオードベルの『サル類図鑑』などの奇書も、蔵書にふくまれていたことに注目したい。これら屋根裏でほこりをかぶるべき真摯な怪物書、奇形学書によって、アーマイゼンハウフェン博士は〈秘密の動物誌〉へと魅きつけられたのである。

　参考までに、かれの蔵書中最も注目すべき書目とされる『リノグランデンティアの身体構造と生態』について一言しよう。この奇怪な書物は当初小冊子として1957年にドイツで刊行された。著者はハラルト・シュトゥンプケというが、ゲロルフ・シュタイナーによる珍動物数種の図解が目を引く。和名ハナアルキ（鼻歩き）あるいは鼻行類とされるこの哺乳類は、太平洋上のハイ－アイ－アイ諸島だけに産し、かれらが日本軍から脱走した一スウェーデン人に発見されたのは、1941年のことであった。なんと、異様な発達をとげた鼻で、歩いたり跳んだりできる小さな動物である。たとえばナソベーマ・リリクムと学名が与えられた種は４本の鼻をもち、逆立ちして〈鼻歩き〉することができる。またオトプテリス・ウォリタンスはバネ仕掛けになった鼻と翼状の耳とをもち、空中に跳ねあがって、後方へ飛行することができる。しかし珍動物の故郷ハイ－アイ－アイ諸島は、その後、秘密の核実験により誘発された地殻異変により水没、ハナアルキたちも全滅してしまう。だが幸か不幸か、水没前に島を訪れたシュトゥンプケ博士がこの奇妙な動物を調査していた。アーマイゼンハウフェンは、秘密中の秘密ともいうべきリノグラデンティア研究に燃えたシュトゥンプケと個人的に交際をもったのである。おそらく、アーマイゼンハウフェンが非在の動物を実際に採集調査する仕事に打ちこみだしたのは、同志シュトゥンプケの影響であろう。いずれにしても『秘密の動物誌』をめぐる周辺には、以上のような歴然たる事実と人物の関係史

が存在したのである。

ついでながら、以上の主張をさらに裏づける証拠として、本書を直接執筆したペレ・フォルミゲーラとジョアン・フォンクベルタ自身についても若干触れておこうと思う。二人の本書執筆にまつわる経緯は巻末の「製作ノート」に詳しいが、かれらのインスピレーション源がアルゼンチンの作家ホルヘ・ルイス・ボルヘスであったことは、注目に値する。というのも、ボルヘスには『幻想動物学提要』なる共著があり、文学者とはいえ20世紀において秘密の動物誌研究をこころざした数少ない巨人のひとりであったからである。ボルヘスの「存在するとは写真にうつるということである」との格言を踏まえて、かれらは次のように告げる——ところどころに本物の雑種や自然界に見られる奇形を含む、これら新たな怪物たちをデザインし作りだすことだけでは、現在のさまざまな問題の多くに対して、なんの答えももたらしえない。（中略）これこそ未来の動物たち、汚染とあらゆる種類の化学物質や放射能による攻撃にさらされた、危機的環境に住む動物たちなのではないか？——と。

そのとおり、秘密の動物誌は単に人騒がせな冗談ではなく、人間の想像力の限界を明示することと——おそらくは未来に出現するであろう地球の総奇形化を暗示する前兆の体系ともなりうるのである。

そのおそるべき可能性を認識する原著者の一人ジョアン・フォンクベルタは、なりわいでもある写真術を介して、秘密の植物誌とでも呼ぶべき同趣の書『Herbarium（本草誌）』をも刊行する一方、近年では〈フロッタグラム〉なる作品を次々に発表しつつある。この〈フロッタグラム〉は、印画紙の上に物をのせて露光するという「何の作為もない自然の再現」技法（フォトグラム）と、物体の上に紙をのせて拓本をとるようにその写しをとる技法（フロッタージュ）とを合成させた造語である。つまりフォンクベルタは、実体を写すというだけの・写・真・術から一歩抜けだし、対象の物質感あるいは質感・量感をも再現できる〈写・物・術〉へ接近しようとしている。換言するならば、写真による幻想生物の標本づくりなのである。これによって、秘密の動植物誌はさらに大きな成果をあげるであろう。

ゆえに、かれら原著作者が述べるとおり、

226

『秘密の動物誌』は未来の動物誌づくりに向けられた先駆的努力の一例となるのである。未来とは、非在を実在に変える唯一の場のことである。今は絶滅した動物たちが過去という舞台で〈実在〉を謳歌するのと同じように、非在の動物たちは未来でこそその〈実在〉を主張するのである。

文庫版解説

甘美な後悔の中にこそ

茂木 健一郎

『秘密の動物誌』に収められた不思議な動物たちの写真は、どこか甘美で、とりかえしのつかない「後悔」に似ている。もうすでに起こってしまったこと。今更遡って変えるわけにはいかないこと。後ろめたく、それでいて忘れがたく、心を惹き付けてやまないもの。
　現実と仮想の間に存在する秘密の生きものたちの姿は、なぜ「甘美な後悔」に似ているのだろう。考えているうちに、ある古い記憶が甦った。
　私が小学生の頃、「南の海で謎の動物の死体が見つかった」という趣旨の記事が新聞に掲載されたことがある。操業していた漁船の網に引っかかった。残された写真は、首長竜のようにも見えた。「ネッシー」が南海で生きていたか、と大騒ぎになった。残念なことに、漁船はその死体を捨ててしまったのだという。貴重な発見だったかもしれないのに、と識者がコメントしていた。小学生の私も、とても悔しい思いをした。
　その後、残留していた組織の鑑定から、実際には恐竜のような爬虫類ではなく、サメの仲間だったらしいと判った。「古代のロマン」はつまりは空砲に終わったが、その時に感じた胸騒ぎは、今でもありありと想い出すことができる。そして、当時の心の動揺は、大人になる過程でその味わいを嫌というほど知った、「甘美な後悔」にやはり似ているように思うのである。
　人生は、予想できることばかりではない。思いがけない展開や、予期せぬ結末が待っているからこそ、私たちは後悔する。「半ば予想ができ、半ば予想できない」という「偶有性」が、私たちの人生を特徴づける。
　容易には予想できないからこそ、現実のすぐ横には、たくさんの反現実が存在して、密接に絡み合う。「今、ここ」にある出来事のすぐ横に、あったかもしれないこと、起こったかもしれないイベントが横たわっている。私という人間は、「今、ここ」に現実に在る。でも本当は、全く他の場所で、違う人間として生活していたかもしれないのだ。
　どのようなこともあり得たのに、なぜか世界が現実に着地している。このような生における偶有性の真実を、ジョン・レノン

は「人生とは忙しく他の計画を立てているうちに起こる出来事のことである」と歌った。

　　　　　　　　　　　　　　　地球は随分狭くなってしまったが、まだまだ、現実には留まらずたくさんの反現実を抱えることができるくらいには大きい。だから、私たちは、現実の生物とは全く異なる生きものたちが闊歩する「あったかもしれない地球」を夢見るのだ。

『秘密の動物誌』に収められた動物たちは、どれも現実にはあり得ないようでいて、それでいて私たちの世界の自然な住人であるかのような、奇妙な実在感を持っている。

　　　　　　　　　　　　　ヘビのように長い胴体を持ち、6対の足を持つ「ソレノグリファ・ポリポディーダ」は、脊索動物門、脊椎動物亜門、爬虫類に属する「極度に攻撃的で有毒」な生きものだという。「インド南部タミル・ナドゥ州の落葉樹林にて、情報提供者G－16により発見」されたこの生きものは、「死んだ動物の上に消化液の一部を吐き出し、酸性度の高いその液体の効果が現れるのを待つあいだ特徴的な「グロブ・ト」という鳴き声を3拍：休止：1拍のリズムで声高に発しながら、獲物の周囲をぐるぐる回る」のだという。

　　　　　　　　　　　　　　　　　　　　　　「ソレノグリファ・ポリポディーダ」の「攻撃直前の体勢」だという写真を見て、右の説明を読んだ時、私は、「ああ、こいつは確かにどこかに棲息している！」と確信した。この地球ではないとしても、私たちの生の偶有性の中に、あるいは甘美な後悔の中に、こいつは間違いなく存在している。

　　　　　　　　　　　　　　　後悔という不思議な感情の脳内メカニズムは、自然のプロセスとして徐々に解明されつつある。大脳新皮質の前頭眼窩皮質において、「実際に起こったこと」と「起こったかもしれないこと」が比較される。その結果、「起こったかもしれないこと」の方がより魅力的で価値のあるものとして判断されると、私たちの中に後悔の念が生じる。

　　　　　　　　　　　　　　　現実や反現実といった概念は、いかにも哲学者が弄ぶ抽象的思弁のようであるが、実際には私たちの脳の中のしっとりと湿った神経細胞の網の中に、確かな実在として存在し、表現され、そして私たち人間の

心の中に様々な感情のさざ波を引き起こしているのである。

　　　　　　　　　　　　　　そもそも、地球上の生物が今あるような形であるのは、因果と存在の連鎖がもたらした偶然に過ぎない。この世は、中国で羽ばたいた蝶の巻き起こす風がメキシコ湾でハリケーンを引き起こす「蝶の羽ばたき効果」に象徴されるような「カオス」に満ちている。非線形力学における初期状態のごくわずかな差異が、めぐりめぐって大きな変化へとつながってしまうのだ。

　　　　　　　　　　　　　私たち原生生物のすぐ横に、進化の長い歴史の中で試みられては消えていった膨大な生物たちの幻が浮かんでいる。私たちは、必ずしも一番優れているから生き残ったわけではない。本来は、どんな「表現型」でも良かったのだ。鳥の胴体が亀の甲羅のようになっていたり、魚が海から立ち上がったり、ヒヒの上半身が馬から生える。そんな形をしていても良かったはずなのだ。

　　　　　　　　　　　　ダーウィンの進化論における「突然変異」と「自然淘汰」は、普遍的な拘束条件を記述しているようでいて、その実この地球上に見られる驚くべき生物多様性の説明原理ともなっている。私たちは、たまたま、本当に偶然の積み重ねとして、今、このような形でここにいる。進化論の原理が許容する生物は、もっと他にもいたはずだ。21世紀において地球環境と人間の生活の関わりを考える上で最も大切な考え方となりつつある生物多様性を、現実の生きものたちから「あり得たかもしれない」生きものたちへと拡張した時、私たちはこの世界に偶有性の風が吹き始めることを感じる。大いに胸騒ぎを覚える。

　　　　　　　　　　　　　もともと、感情は現実と同じくらい反現実によって動かされる。だとすれば、すぐれた表現者が反現実の事情に通じていたとしても、それは当然のことだということができよう。十五世紀から十六世紀初頭にかけて活躍したネーデルラントの画家ヒエロニムス・ボッシュの代表作『快楽の園』の中には、様々な奇妙な姿をした想像上の生きものたちが描かれる。現実の生物の系統樹に寄り添った形で、私たち人間は想像上の生きものを思い描く。そんなこんなを想像しながら、心臓をどきどきさせているのだ。

　　　　　　　　　　　　　一角獣、竜、麒麟。これらの想像上の生きものたちが、私たちの心の中で現実の生きものたちと同等の、あるいはむしろそれ以上の実在感を持つのは、彼らが本来私たちと同じくらいの権利をもって、「この

地上にあり得たものたち」だからである。想像力とは、反現実による、現実に対する美しい復讐でもある。そのようにして、世界は大いなる均衡を回復するのだ。

時は流れ、私たち人間の地上のありさまに対する知識は増大し、次第に想像上のものたちが棲まう薄暗がりは消えつつある。そんな中で、ニューヨークのメトロポリタン美術館が所蔵するフランドルのタペストリーにある有名な図柄「捕われた一角獣」が徴表するように、これら想像上のものたちはいつの間にか管理された場所の中へと閉じこめられてしまった。それでもなお、人間精神が本来仮想のものたちにも応分の領土を用意していることは、あり得ない世界に遊ぶファンタジー小説の隆盛を見ても明らかなことだろう。

現実はすっかり散文的になった。実際的であることが何よりも価値のある現代において、私たちはかつてナポレオンがイギリスを揶揄して評した「商店主たちの国家」の中に棲まざるを得ない。反現実を呼び覚ます魔法を、インターネットやモバイル・コンピューティングを駆使する日常の中で甦らせるのは難しい。

だとすれば、私たちは、大いに後悔すべきなのではないか。そうすれば、「あったかもしれないこと」を甘美にふり返ることを通して、私たちはこの現実の軌道をやさしく揺り動かし、日々の中に本来満ちているべき「偶有性」を呼び覚ますことができる。目が眩むような「あったかもしれないこと」の断崖の間に挟まれてかろうじて息づく「生きている」ということの奇跡を、やわらかな春の日差しのような精神性の照射の中で、ゆったりと味わうことができるのである。

管啓次郎さんが海流で磨き上げられた貝殻のように優美な訳文をなし、荒俣宏さんがかの名著『鼻行類』を引き合いに出していかにも愉しい解説を寄せた『秘密の動物誌』の原著を、私はこよなく愛してきた。今、こうして手軽に持ち運べる文庫本となったことは、かの「捕われた一角獣」が少しは自由に息をできるようになったようで嬉しい。文庫を忍ばせて散歩に出かければ、ここかしこから奇妙な生きものたちが顔をのぞかせるかのようだ。

秘密の動物は甘美な後悔の中にこそ棲息しているのである。

FAUNA SECRETA
by Joan Fontcuberta, Pere Formiguera Copyright ©1991
by Joan Fontcuberta, Pere Formiguera Japanese translation published
by arrangement with Joan Fontcuberta through The English Agency (Japan) Ltd.

本書は、1991年12月5日、筑摩書房より『秘密の動物誌』として刊行されたものである。

デザイン：祖父江慎＋コズフィッシュ
協力：(株)ツァイト・フォト、(株)パルコ、岡村ひとみ

ゴシックとは何か　酒井　健

中世キリスト教信仰と自然崇拝が生んだ聖なるかたち。その思想をたどり、ヨーロッパ文化を読み直す補遺としてガウディ論を収録した完全版。

グレン・グールド　孤独のアリア　ミシェル・シュネデール　千葉文夫訳

鮮烈な衝撃を残して二〇世紀を駆け抜けた天オピアニストの生と死と音楽を透徹なタッチで描く、最もドラマティックなグールド論。〈岡田敦子〉

グロテスクの系譜　アンドレ・シャステル　永澤峻夫訳

ルネサンス期、清澄なる古代復興の影で〈グロテスクなもの〉は産み出された。怪物的・遊戯的なるものの系脈を美術史の碩学が解剖する。図版多数。

20世紀美術　高階秀爾

混乱した二〇世紀の美術を鳥瞰し、近代以降、現代すなわち同時代の感覚が生み出した芸術がわれわれにとって持つ意味を探る。増補版、図版多数。

ピカソ　剽窃の論理　高階秀爾

過去の画家たちの作品を独自に変容させ自らの作品とした天才画家ピカソ。その表現を徹底的に解明し、創造の本質に迫る碩学の書。〈大岡信〉

日本近代美術史論　高階秀爾

圧倒的な西洋文化に開眼した明治の日本美術。高橋由一から藤島武二まで。日本的感性の挫折と革新を鮮やかに論証する名著。

動くことば　動かすことば　竹内敏晴

「夕鶴」「アンティゴネー」「人形の家」など、男と女の断絶のドラマを〈声に出して読む〉ことによって立ち上がってくる衝動。〈酒井忠康〉

鏡と皮膚　谷川渥

「神話」という西洋美術のモチーフをめぐり、芸術の認識論的隠喩として二つの表層を論じる新しい身体論・美学。鷲田清一氏との対談収録。〈田口ランディ〉

美学の逆説　谷川渥

美が主観的・個人的な感性の問題であるならば、美学という学問は可能か。美学的営為が孕む逆説的事態を鋭くスリリングに解明する思考の軌跡。

ブルーノ・タウト	高橋英夫	桂離宮を「永遠なるもの」と絶讃し、日光東照宮を「キッチュ(いかもの)」と評したブルーノ・タウトの生涯の謎を解き明かす。(松山巖)
戦中・戦後気侭画帳	武井武雄	煙草行列・空襲・占領軍・浮浪児……。太平洋戦争当時の日本人の暮らしを童画家・武井武雄がいきいきと活写した貴重な時代の記録。(武井三春)
限界芸術論	鶴見俊輔	盆栽、民謡、言葉遊び……芸術と暮らしの境界に広がる「限界芸術」。その理念と経験を論じる表題作ほか、芸術に関する業績をまとめる。(四方田犬彦)
ダダ・シュルレアリスムの時代	塚原史	人間存在が変化してしまった時代の〈意識〉を先導する芸術家たちの二十世紀思想史として捉えなおす、衝撃的なダダ・シュルレアリスム論。(巖谷國士)
奇想の系譜	辻惟雄	若冲、蕭白、国芳……奇矯で幻想的な画家たちの大胆な再評価で絵画史を書換えた名著。一度肝を抜かれる奇想の世界へようこそ! (服部幸雄)
奇想の図譜	辻惟雄	北斎、若冲、白隠、そして日本美術を貫く奔放な「あそび」の精神と「かざり」への情熱。奇想から花開く鮮烈で不思議な美の世界。(池内紀)
デュシャンは語る	マルセル・デュシャン 聞き手ピエール・カバンヌ 岩佐鉄男/小林康夫訳	現代芸術において最も魅惑的な発明家デュシャン。謎に満ちたこの稀代の芸術家の生涯と思考・創造活動に向かって深く、広く開かれた異色の対話。
プラド美術館の三時間	エウヘーニオ・ドールス 神吉敬三訳	20世紀スペインの碩学が特に愛したプラド美術館を借りて披瀝した絵画論。「展覧会を訪れる人々への忠告」併収の美の案内書。
なぜ、植物図鑑か	中平卓馬	映像に情緒性・人間性は不要だ。図鑑のような客観的視線を獲得せよ! 日本写真の60〜70年代を牽引した著者の幻の評論集。(八角聡仁)

監督 小津安二郎	蓮實重彥	我々は小津の映画に何を見るのか。そしてそのイメージはフィルムの感性的感動にどのように刺激するのか。小津作品の真の魅力の動因に迫る画期的な著作。フォード、ブニュエル、フェリーニ、ゴダール、ベッキンパー……。たぐい稀な感性が読んだスリリングなフィルム体験。著者初の海外映画作家論。
映像の詩学	蓮實重彥	
ゴシック建築とスコラ学	E・パノフスキー 前川道郎訳	ゴシック建築とスコラ学との間には、時間と場所という純粋に事実の領域において、明白な同時発生が存在している。碩学が多数の図版で読み解く。
イコノロジー研究（上）	E・パノフスキー 浅野／阿天坊／塚田 永澤／福島訳	芸術作品を読み解き、その背後の意味と歴史的意識を探求する図像解釈学。人文諸学に汎用されるこの方法論の出発点となった記念碑的名著。
イコノロジー研究（下）	E・パノフスキー 浅野／阿天坊／塚田 永澤／福島訳	上巻の、図像解釈学の基礎論的「序論」と「盲目のクピド」等各論に続き、下巻は新プラトン主義と芸術作品の相関に係る詳細な索引を収録。
さかさまの幽霊	服部幸雄	江戸の文化は「見る」文化だ！ 芝居絵や挿絵、風俗図屏風の図像から、大衆文化の構図とエネルギーを読み解く、歌舞伎のイコノロジー。
見るということ	ジョン・バージャー 飯沢耕太郎監修 笠原美智子訳	写真の登場で、人間は膨大なイメージに取り囲まれ、歴史や経験との対峙を余儀なくされた。見るという行為そのものに肉迫した革新的美術論集。
新編 脳の中の美術館	布施英利	「見る」に徹する視覚と共感覚に訴える視覚。ヒトの二つの視覚形式から美術作品を考察する、美術論へのまったく新しい視座。 (中村桂子)
かたちの生命	アンリ・フォション 阿部成樹訳	「形体」とそれを生み出す手わざに注目し、美術の大きな流れを自律的・有機的生命体と捉える、エスプリに溢れたフランス正統美術史学の名著。

図説 写真小史
ヴァルター・ベンヤミン
久保哲司編訳

写真の可能性と限界を考察し初期写真から同時代の作品までを通観した傑作エッセイ「写真小史」と、関連の写真図版・評論を編集。

東京恋慕帖
正岡 容

稀代の寄席文化研究家が失われゆく東京風俗を愛惜して綴った随筆集。巻末に桂米朝・大西信行・小沢昭一各氏の鼎談「師正岡容を語る」を収録。

評伝 柳宗悦
水尾比呂志

民衆美の発見による美意識の革命的価値転換を行なって民藝運動を展開、近代日本文化の在り方を根底から問うた独創的思想家の全業績。決定版評伝。

美術の解剖学講義
森村泰昌

「美術＝難解」という発言に対し、道理と分別、夢と愛を持った講義でお答えしましょう。異色芸術家による6篇のレクチャー。

理想の書物
ウィリアム・モリス
W・S・ピータースン編
川端康雄訳

近代デザインの祖、モリスは晩年に、私家版印刷所を設立し、徹底した理想の本作りを追究する。書物芸術を論じた情熱溢れるエッセイ講演集。

モードの帝国
山田登世子

モードはあたかもシャネルにおいてエロティック。ファッションに革命を起こしたシャネルを評価し、装うことの意味とそこから立ち上がる世界をきらびやかに論じる。

乳房論
マリリン・ヤーロム
平石律子訳

乳幼児を養い、男を欲情させ、芸術家に愛でられ、法規制下で隠蔽される、女の乳房。魅力ある多数の図版で読む文化史。

漫画原論
四方田犬彦

風船、コマ、速度の表象、黒と白の意味とは？ 映画でも絵画でも小説でもない「漫画」を形作る文法とは何なのか。漫画批評の原点となる一冊。

マニエリスム芸術論
若桑みどり

カトリックの世界像と封建体制の崩壊により、観念の転換を迫られた一六世紀。不穏な時代のイメージの創造と享受の意味をさぐる刺激的芸術論。

秘密の動物誌

二〇〇七年十一月十日　第一刷発行

著　者　ジョアン・フォンクベルタ
　　　　ペレ・フォルミゲーラ
監　修　荒俣宏（あらまた・ひろし）
訳　者　管啓次郎（すが・けいじろう）
発行者　菊池明郎
発行所　株式会社筑摩書房
　　　　東京都台東区蔵前二—五—三　〒一一一—八七五五
　　　　振替〇〇一六〇—八—四一二三
装幀者　安野光雅
印刷所　三松堂印刷株式会社
製本所　株式会社積信堂

乱丁・落丁本の場合は、左記宛に御送付下さい。
送料小社負担でお取り替えいたします。
ご注文・お問い合わせも左記へお願いします。
筑摩書房サービスセンター
埼玉県さいたま市北区櫛引町二—六〇四　〒三三一—八五〇七
電話番号　〇四八—六五一—〇〇五三
© HIROSHI ARAMATA/KEIJIRO SUGA 2007
Printed in Japan
ISBN978-4-480-09116-1　C0195